寶劍金釵

下

王度盧著

#《寶劍金釵》(下冊) 目次

第二十六回　寒夜揮刀單身驅悍賊　俠心垂死數語寄深情

剛才德嘯峯在路上遇見的那輛車，車上坐的正是瘦彌陀黃驥北。這些日來，黃驥北不斷地在各處奔走，尤其今天更是忙得很。頭一回出城到慶雲店為苗振山探喪，後來因為聽說是提督衙門要驅逐張玉瑾等人出京，他又進城來給打點。

其實提督衙門裏辦的事，也是黃驥北給使出來的，他為的是藉此收束這個難以了結的場面。並想激怒了張玉瑾等人，叫他們沒什麼顧忌，而對德嘯峯等人使出殘忍的手段來。在大街上，他本來看見德嘯峯的車輛，便暗暗地冷笑着說：「德五，由你去想辦法吧！反正咱們的仇兒是解不開了！」車出了城，就先到春源鏢店裏，託了花槍馮隆去請張玉瑾。

少時張玉瑾來到，黃驥北就故意皺着眉，說：「我到提督衙門也沒見着毛大人，說是他出外拜客去了。我看大概是故意不見我。」接着又跺腳大罵德嘯峯，說：「這都是德五使出來的手腕。他一面指使着他家裏養着的那個姑娘把苗員外給害死了；一面又在衙門託了人情，花了錢，反說你們的來歷不明，要逼你們諸位離開這裏，他好再把那李慕白架出來，在這北京城橫行。」又說：「我看他家裏養的那個姑娘才真是來歷不明呢！不定跟德五是怎麼回事呢！」

金槍張玉瑾倒是很沉穩地，並不怎樣暴躁。聽黃驥北提俞秀蓮，他反倒搖頭說：「俞秀蓮並不是沒有來歷的，他們父女與我們是仇家，我們無論是誰見着誰，都可以拚命。所以我的舅父苗振山死了，我並不悲傷，也不怨恨俞秀蓮。只是德嘯峯這個人，真真是個小人。今天我到東四三條見着他和楊健堂，他還跟我假客氣了一陣。我提到與俞秀蓮比武之事，他立刻就替俞秀蓮答應了我，並且由他訂的地方，說是後天一早準在齊化門外三角地見面。當時我還覺着他那個人很是慷慨，哪裏想到他是在當時支吾我？一轉臉他就使出衙門裏的官人來跟我們發威！」說到這裏，他恨恨不已。

黃驥北便趁勢說道：「德嘯峯是內務府旗人，他們有錢又有勢力，本來就沒有人敢惹他。何況他又養了李慕白、楊健堂和那姓俞的姑娘，給他當打手呢。張老弟你們若走了，我也不能在此安居，我也得找個地方躲一躲去，要不然我非吃德嘯峯的虧不可。」張玉瑾氣得站起身來，跺腳說：「別教他德嘯峯高興！我們雖然走了，也饒不了他。」

說畢，把黃驥北請出屋去，背着馮家兄弟又談了幾句，金槍張玉瑾就走了。回到磁器口慶雲店，只見苗振山的屍體已然入了殮。苗振山雖非他的親舅父，但也相處多年，因為彼此相助，他才有了這大的名氣。此次又是一同被冒寶昆邀請前來，如今李慕白沒有見着，苗振山反倒賠了一條性命；德嘯峯又使出衙門的人，驅逐他們離開北京，張玉瑾就暗自想出了毒計。此時何三虎、何七虎、女魔王何劍娥，以及苗振山帶來的那些人，也全都氣忿得連飯也吃不下去。

何三虎就向眾人說：「你們沒聽見剛才衙門裏的人說嗎？限咱們今天、明天兩日之內必得滾開北京，要不然就把咱們全都抓起來問罪。他娘的，原來這個地方更不講理！難道苗大叔就白白死在這裏，咱們就這麼栽了跟斗算了嗎？」眾人被何三虎這話一激，全都抄起兵刃，立刻要找德嘯峯、俞秀蓮拚命去。張玉瑾趕緊把眾人攔住，說：「咱們在京城裏絕鬥不過德嘯峯，何必要白饒上一回？我有一個辦法……」於是他把心中所想的毒辣的手段向幾個人秘密地說出。何三虎等人聽了，也都覺得這個辦法不錯，於是大家先忍耐下來。

晚間，黃驥北又派了大管家牛頭郝三，給他們送來了路費。金槍張玉瑾收下了，吩咐手下的人收拾行李，說是明天一早就起身離京，並叫人去找冒寶昆說話。但那冒寶昆今天聽說苗振山死了，他早就藏躲起來了，張玉瑾等人忿恨了一夜。

到了次日，天色才明，張玉瑾等人就雇了車，拉着苗振山的棺材離開北京走了。他們出的是彰儀門。瘦彌陀黃驥北派了家人郝三等，在關箱中還擺了供桌，迎接苗振山的棺材祭奠了一番。張玉瑾等人心中倒都是很感謝，覺得黃驥北不愧是個好朋友，遂就幾輛車十幾匹馬，又往下走。

走到午飯時，張玉瑾就囑咐何七虎、何劍娥兄妹，帶着那幾個僕人和打手們，跟着苗振山的靈柩暫往南去。他卻帶領他的內兄鐵塔何三虎和一個精悍健壯的僕人，全都騎着馬又折回北京城，繞到齊化門關裏，找了店房歇下，也沒有人注意他們。到了吃晚飯的時候，金槍張玉瑾和鐵塔何三虎，就暗藏短刃又混進了城，在東四三條徘徊了一會，便找了一個小茶館去聽書。為的是等到夜間，好下毒手殺害德嘯峯和俞秀蓮。

今天，鐵掌德嘯峯因為知道金槍張玉瑾那一干人已被衙門逐出北京，明天齊化門外比武決鬥的事，自然也不須履行了，所以心裏頗為舒服，彷彿這些日來的憂慮驚恐，至此全都解除了。只是俞秀蓮姑娘的事情，還是想不出辦法來。

德大奶奶見丈夫今天的神色似乎好了些，她也就高興地談着話。兩個小少爺也在旁邊，德嘯峯望着一個十二三歲、一個七八歲的兩個兒子，心裏感慨着，就說：「別的事都不要緊，反正跟黃驥北，我們兩家的仇恨算是結上啦！咱們有孩子若不學點真本事，將來難免要受黃驥北之害！」德大奶奶聽了就不服氣，說：「黃驥北又怎麼樣？難道他還能把咱們這兩個孩子全都殺了嗎？」德嘯峯搖頭歎息說：「你哪裏知道？黃驥北那個人最是陰險不過，他現在不能奈何我，就許將來要坑害咱們的兒子。自然，咱們這旗人的孩子，長大了還是當差去，可是也得叫他們練點功夫，將來好不受別人的欺負。」

德大奶奶說：「既然這樣，沒事你就教教他們，你不是說學武藝非得從小時候練起嗎？」德嘯峯一聽他太太的話，不由得笑了，說道：「我這點本事哪兒行？咱們的孩子要拜師父，無論如何也得拜李慕白和俞秀蓮那樣兒的，所以，我最盼望的就是李慕白娶了俞姑娘。他們小倆口兒在北京一住，就叫咱們這兩個孩子，跟着他們習學武藝去。」德嘯峯很高興地，才說出他自己這個希望，就見軟簾一啟，進來一個僕婦，說是：「俞姑娘來了！」

德嘯峯夫婦全都站起身來，就見俞秀蓮姑娘依舊穿着青布的長旗袍，裊裊娜娜地走進屋來。德嘯峯很怕剛才自己說的什麼李慕白娶姑娘的話被她聽見，於是藉着燈光去看姑娘，清秀的神色，卻彷彿不似往日那樣的憂鬱了。嘯峯夫婦一齊讓座，秀蓮姑娘也略略謙遜，就在一張椅子上坐下。僕婦給她送過茶來，秀蓮姑娘就問德嘯峯說：「德五哥，明天早晨我們到底還出城去不去呢？」德嘯峯說：「自然不用再出城了。今天張玉瑾那般人已叫官人給趕走了，他們把苗振山的棺材也抬走了。」說到這裏，不禁笑了笑，由桌上拿起水煙袋來，點着了吸着，又說：「張玉瑾他們都是在江湖間做過案子的人，最怕見官，所以苗振山死了，他們也不敢打官司。這次衙門裏的人把他們趕走，據我猜着也是黃驥北的主意，因為黃驥北把這些人請了來，於他自己沒有一點好處。苗振山死後，剩下張玉瑾一人更無能力，所以黃驥北要個手腕，把這些人打發走了，以免幫他不成，再給他闖禍。不過我知道，張玉瑾走後，倒許不至再找咱們為難了，那黃驥北必然還不死心。可是，他也不過是和我作對，不能對姑娘怎樣。」

俞秀蓮點了點頭，咬着下唇，默默地坐了半天，忽然向德嘯峯說道：「德五哥，一半天我就要走了。我想先到榆樹鎮給我父親的墳上燒幾張箔去，然後我還要回巨鹿家鄉看看去呢！」德大奶奶聽說秀蓮姑娘要走，她就有點捨不得，說道：「俞大妹妹，你要走後可還再到北京來不來啦？」

俞秀蓮微歎了一聲，正要答話，德嘯峯又皺着眉，勸阻秀蓮姑娘說：「姑娘你要走，我不能攔阻你。不過你得等李慕白回來，因為他與姑娘相識在先。再說他又見過孟二少爺，不論姑娘將來要往哪裏去，總是見見他的面，說一說才好。要不然姑娘由我這裏走了，再出什麼事情，我實在難對李慕白和孟二少爺。」俞秀蓮聽德嘯峯又提到李慕白和孟思昭，心中未免又是一陣痛楚，便用手帕拭了拭眼淚，也不願因此與德嘯峯爭辯，遂又談了幾句閑話，便回到自己住的屋內去了。

俞秀蓮住的這間屋子，本來是一間小書房，收拾得頗為整潔。秀蓮姑娘自從延慶到北京來，就住在這間屋裏，已有半個多月了。如今想着苗振山已死，張玉瑾等人也走了，自己還在這裏住着作什麼？又想到剛才德嘯峯背着自己，說什麼盼望李慕白回來娶了自己的話，又不由臉上一陣發燒。回溯今年春天，自己住在家鄉時，那時父親正小心謹慎地防範着仇人，恰巧又有那梁百萬家的少爺，很討厭地追着自己胡纏。那天晚上他竟扒着牆到自己家裏，也不知是要作什麼？幸被自己發覺，把他踹下房去。孫正禮把他打了幾下，才放走。那天若不是父親在旁阻攔，自己也就將姓梁的殺了……一面想着，一面側對着几上的一盞油燈，眼望着紙窗。

那窗外的寒風呼呼地吹着，吹得窗子上的紙沙沙地亂響，燈光也昏暗得像是要滅，又一搖一搖的顯出一種悽慘的情景來。秀蓮姑娘不禁驀然想道：「那張玉瑾、何三虎和女魔王何劍娥等人，全都是飛檐走壁的大盜，難道如今他們就甘心走去，不能夠趁着黑夜來到這裏，殺死我和德嘯峯的全家嗎？」才一想到這裏，便覺得不能不謹慎提防着，遂就到牀邊，把那一對雙刀抽出鞘來，拿到燈畔，又挑了挑燈，低頭細看。只見這一對雙刀十分的鋒利光芒，而且輕便合手，原是三年前自己父親特地託朋友特打的。昨天殺死了吞舟魚苗振山，彷彿那鋒刃上猶帶着那惡賊的血腥似的，於是心中又有些自矜。想着自己的武藝，真是除了李慕白之外，還沒遇見過對手。李慕白……秀蓮姑娘一想到了李慕白，心中就有一種感激和羨慕之情不禁地湧出。立刻對燈捧刀，呆了半晌，那眼淚又不知不覺地汩汩流下。

此時遠處的更聲已交了三下，燈裏的油都快燃燒乾了。秀蓮姑娘只得輕輕把門閉上，剛要熄燈睡去，這時忽聽德嘯峯的屋裏有婦人的聲音一聲怪喊，正是德大奶奶。接着一陣桌椅門戶亂響，又聽有鐵器鏗鏘相擊的聲音，只聽德嘯峯喊着說：「我姓德的跟你們拚了！」

此時俞秀蓮趕緊提雙刀出屋，遙見星月慘淡之下，有三個人在院中，掄刀殺在一起。俞秀蓮便喊了一聲：「德五哥快閃開，讓我殺他們！」德嘯峯此時正在手忙腳亂，一見俞秀蓮姑娘趕來，他趕緊閃在一旁，提着刀跑回他的屋裏，去看他的妻子。眼看德大奶奶是藏在桌後，桌子上被強盜砍了一刀，痕跡宛然。桌上的花瓶、茶碗全都震掉在地下摔破了。德嘯峯攙起他妻子來就問道：「沒傷着你嗎？」德大奶奶嚇得渾身打哆嗦，搖着頭說：「倒沒傷着我。」德嘯峯一面向妻子擺手，說：「你不要怕。」一面側耳聽着外面，只聞院中鋼刀磕得鏗鏘作響，又有賊人相呼之聲。

德嘯峯本想再奔出去，幫助俞秀蓮姑娘，可是他的妻子揪着他的胳臂，哆嗦得十分可憐。德嘯峯橫刀望着窗外，心中正在焦急。此時前院裏也有人喊起拿賊來了，德嘯峯就隔着窗子大罵：「張玉瑾，你要是好漢子，你們住了手，我德嘯峯出去見你。有本事咱們光明正大地較量較量，何必使出這飛賊的手段呢！」德嘯峯這話還沒有說完，就聽屋上的瓦一陣亂響，震得窗上的紙和玻璃全都亂動。德嘯峯仰面看着屋頂，待了一會，響聲隨着過去了，又半天沒有動靜。德大奶奶才把他的丈夫放了手，德嘯峯也深深地抽了一口氣。

這時外院住的壽兒和僕人們全都驚醒，穿上了衣裳，打着燈籠進到裏院來問。德嘯峯把刀放下，出屋來對眾僕人說：「不要緊的！一點小事。你們別大驚小怪的，留神把老太太給嚇着了。」原來德老太太因為年老耳朵背晦了，所以院外吵鬧的事她都不知道。兩位小少爺是被僕婦看着睡覺，也沒有驚醒。德嘯峯到各處看了看，幸喜家人無恙，也沒有別的損失。只是俞秀蓮姑娘追下了賊人，尚未回來，心中未免着急。一面吩咐僕人們在前後巡守着，他一面回到屋裏坐着發怔。

德大奶奶這時驚魂甫定，看見丈夫臉上煞白，坐在那裏發怔，又是着急又是憂慮，遂問道：「到底剛才闖進屋來的那兩個人是誰呀？」德嘯峯說：「頭一個闖進屋來的那個人就是金槍張玉瑾。幸虧我躲的快，手下又預備着刀，要不然此時早就沒有命了！」說時，指着紅木桌子上的深深刀痕說：「你看這個人多麼兇狠！」德大奶奶想起剛才的情景，也不禁害怕，身上又打起哆嗦來。剛要勸丈夫以後莫要再與江湖人結仇，忽聽院中的壽兒等人又喊起來說：「房上有人啦。」

德嘯峯吃了一驚，趕緊隨手抄刀，要撲出屋去。

這時院中就有一種柔細而嚴厲的聲音說道：「是我，你們拿燈籠照什麼？」又聽是壽兒聲音說：「俞姑娘，你把賊追上了嗎？」俞秀蓮說：「你們睡去吧，沒有什麼事啦！」遂就咳嗽了一聲，進到德嘯峯夫婦的屋裏。德嘯峯此時又把刀放下，他就說：「俞姑娘回來了！」遂順着燈光，上下打量秀蓮姑娘。只見秀蓮姑娘身穿青布短褲，臂挾雙刀，頭上的髮被風吹得微微散亂。她把刀立在牆角上，略略喘了兩口氣，便說：「我把他們追到齊化門城根，他們跑上了馬道，用磚頭往下扔打，我才沒敢再往上追。這兩個賊的刀法都不怎樣好，他們的手腳也都很笨。幸虧他們是兩個人，教我顧不過來，若是一個人，我早就把他捉住了。」

德嘯峯見秀蓮姑娘把兩個賊人驅走，她自己一點也沒有吃虧，心裏就不禁佩服，又是自覺慚愧。便紅着臉歎氣道：「本來我們還沒睡下，屋門就被人踹開，闖進來這兩個強盜。幸虧我手下也預備着兵刃，要不然非要吃虧不可！」說時指着桌子被砍的刀痕，叫俞秀蓮瞧着，又說：「那身材高一點的就是金槍張玉瑾。大概他們今天並未離京，不過造出他們已然走了的話，為是叫咱們防備疏忽，他們晚間好來下手。這個張玉瑾也真狠毒呀！」秀蓮姑娘聽了，倒覺得這是自己給他惹的禍事，因此很覺抱歉，過去又看了德大奶奶。

德大奶奶這時倒緩過氣兒來，說：「多虧有俞大妹妹在這兒，不然憑他一個人，哪打得過兩個強盜呢！」俞秀蓮向德大奶奶安慰道：「嫂子你不要擔心了，我敢保那強盜不能再來了。我也暫且不離開你這兒啦。」德嘯峯聽秀蓮姑娘說是暫且不離開這裏，他也略略放心了，就到前院吩咐僕人們輪流着守夜，然後回到裏院。秀蓮姑娘跟德大奶奶又說了半天話，方才回屋安寢。當夜德嘯峯的鋼刀放在身旁，也沒睡好覺。

次日德嘯峯就通知了衙門，說昨夜自己的宅裏鬧賊。衙門裏的老爺與德嘯峯全都素有交情，就派了兩個官人到他宅裏來保護，白天官人們在門房一坐，晚上在宅子附近巡看巡看。過了兩三天，什麼事也沒有。德嘯峯夫婦雖然驚魂已定，可是秀蓮姑娘卻十分覺得急躁和煩悶，又因德嘯峯極力勸阻，她也不好意思再出門。除了因為繫念那謝家母女，派僕人去看了看，送了幾兩銀子之外，是什麼事也沒做，每日只望着雙刀感歎。

現在，她倒不盼望別的了，只盼望李慕白快些回京，把關於尋找孟思昭的事跟他談一談，並盼他能替自己想想辦法，告訴自己離開德家之後，應當往哪裏去才能得到將來的歸宿。因為心裏思索着事情，有時德大奶奶跟她說閑話，她都不甚愛理。晚間倚燈擁衾，又是無限的傷懷，既悲自身命途多艱，孤零無靠；又悔父母在一年內相繼物化，遺骨一在望都榆樹鎮，一在宣化府，不知何日才能起運回鄉安葬？並且憤恨孟思昭的無情無義，懷疑李慕白的態度突變。時常這樣思慮紛紜，淚痕斑斑，一夜也不能安眠。

又過了兩天，神槍楊健堂就向德嘯峯和秀蓮姑娘來辭行，他帶着手下的鏢頭出北京回延慶去了。德嘯峯送走了楊健堂，見李慕白還不回來，也覺得十分煩悶。尤其自思與黃驥北結下深仇，將來仍難免要遭他暗算。這時天氣是越發寒冷，屋中已生上了炭盆。

這天晚飯後，德嘯峯夫婦在屋裏逗着孩子説話。少時俞秀蓮姑娘也進屋來，坐在炭盆旁與德大奶奶閑談了幾句。她剛要再向德嘯峯提説自己要決心離京的話，忽聽窗外是壽兒的聲音，回道：「李大爺回來啦！」

德嘯峯吃了一驚，趕緊隔着窗子問道：「哪個李大爺？」外面壽兒答道：「是李慕白李大爺！」德嘯峯聽了，立刻跳起身來，笑着說：「我這位大爺，怎麼這時候才回來！」說着趕緊跑出屋子去見李慕白。這裏俞秀蓮聽説李慕白回來了，她也不禁驚喜，本已站起身來，要跟着德嘯峯去見李慕白，可是又見德大奶奶望着她，面上露出笑容，秀蓮姑娘就覺得不好意思，便又坐下了。

這時德嘯峯順着廊子跑到前院客廳裏，只見李慕白正對着燈坐着；一見嘯峯，就站起身來說：「大哥，你這些日可好？」德嘯峯就上前拉住李慕白的手，很懇切又像帶着抱怨的口調説道：「兄弟，你這些日子到了一趟哪兒呀？你不知道自你走了之後，這裏就天翻地覆了嗎？」說時順着燈光去看李慕白，只見李慕白的頭上、臉上全都是塵土，面目越發削瘦，並且神情十分憂鬱，穿着一件長棉襖，衣襟和袖子全都磨破了。

德嘯峯心裏懷着驚疑，就問說：「你是剛進城嗎？」李慕白點了點頭，說道：「我進城時，天自就快黑了。我是騎着馬來的，將馬匹牽回到廟裏，我連臉也沒洗，就趕緊雇車來了。」說到這裏，微歎了一聲說道：「我這些日無時不在憂慮悲傷之中。我也聽說苗振山、張玉瑾到北京找我來了，但我卻無法分身前來呀！」

德嘯峯聽了，不耐煩地問道：「到底你上哪兒去啦？找着孟思昭沒有？」李慕白先抬眼看了看窗外，彷彿惟恐被人偷聽似的。德嘯峯使眼色叫壽兒退出屋去。這裏李慕白坐在德嘯峯的對面，背着燈，他用一隻手支着頭，就很傷感地低聲說道：「今天我是由高陽縣來，因為孟思昭在高陽為苗振山等人所傷，傷勢太重，在前兩天就死了！」德嘯峯聽了，不禁吃驚，剛要發話，就聽李慕白又詳細地往下去說。

原來，自從那天史胖子找着李慕白，兩匹馬就連夜趕路到了高陽縣。這時孟思昭在店房裏住着養傷，由史胖子的那個小夥計服侍着。李慕白一見孟思昭就十分悲痛感慨，他說：「兄弟，你也太任性了！無論你有什麼為難的事情，我們都可以慢慢商量。你怎可拿了我的寶劍，借了鐵二爺的馬，就出了北京，憑着你一個人要鬥苗、張眾人呢？」

孟思昭聽了李慕白這話，他只是冷笑，彷彿認為李慕白說的完全不對。因為身上的鏢傷刀創甚重，他雖然心中有許多話，但是沒有力氣說出來。這高陽縣地方又沒有什麼好的外科醫生，只仗着史胖子帶着點刀創藥，給孟思昭敷治。孟思昭的傷勢反倒日益加重了。李慕白就十分着急，託史胖子到保定請來了一位醫生，給孟思昭診治，可是也不見好。

史胖子在往保定時，他就得到了消息，知道吞舟魚苗振山、金槍張玉瑾等一干人，在保定鬧了幾日，現在已往北京去了。史胖子回來告訴了李慕白，李慕白又恨不得立刻趕回北京，去與苗振山、張玉瑾等人爭鬥，並替孟思昭報仇。怎奈孟思昭此時呻吟病榻，發着燒，傷勢一點不見起色，有時且要疼得昏迷過去。

依着李慕白本是想要雇輛穩當的車子，把孟思昭拉到北京，再去延醫診治，或者還能傷勢轉好。但是史胖子卻極力攔阻，他說：「李大爺，你不仔細看看！孟二爺的傷勢重得成了什麼樣子了！要是在這兒，託老天保佑也許能夠好了。可是要想上路，不用說是到不了北京，就是抬到車上那麼一晃盪，恐怕孟二爺也就斷了氣啦！」李慕白也怕孟思昭的傷勢禁不住路上的勞頓，但是在這裏又沒有好醫生和好藥，急得他日夜看守，不能睡眠。

這天孟思昭是回光返照，忽然清醒了一些，他就說：「我的傷大概治不好了，你們也不必費事去請大夫。」又望着李慕白說：「李大哥，你來了很好！我有幾句話要跟你說……就是我死了也甘心！」於是這孟思昭就述說他以往的歷史。

原來孟思昭因為幼年時曾從家中逃走過一回，在口外各處流浪，學了一身好武藝。後來回到家中，他父親孟永祥雖然對他仍有父子之情，但總不如對長子那樣的疼愛。孟思昭的胞兄孟思昶為人驕傲毒狠，行為又不正，因欲父死之後獨佔家產，所以對孟思昭就處處逼迫。思昭本想要離家他往，可是又因他父親已為他訂下俞秀蓮姑娘為妻。思昭聽人說秀蓮不但貌美，而且有一身好武藝，因此孟思昭只得忍氣吞聲，想着過兩年與俞秀蓮完婚之後，再行離家到外面去闖一番事業。不料在去年春天，宣化府的惡霸張萬頃竟強佔有夫之婦。孟思昭聽說了，就氣憤不平，提着寶劍找到張萬頃的家中，將那張萬頃的兩條腿全都砍掉。然後他身邊一文不帶就逃出了宣化，在外面飄流了些日。他雖然有一身好武藝，但不屑與江湖人為伍，更不肯做那些盜賊的勾當，所以落得十分窮困。

後來他在北京遇見了舊日在口外相識的一個喇嘛僧，這個喇嘛僧也知道他在宣化闖禍的事情，便勸他說：「你把這張萬頃砍成了殘廢，他們現在已告到官中，派人往各處捉拿你了。張萬頃的叔父張太監，是宮中的大總管，極有勢力，若叫他們把你捉住時，你一定活不了。所以你得趕緊找個地方安身，過上二三年，案情一擱置起來，那時你再出頭，也就沒有什麼妨礙了。」於是就叫孟思昭改換了姓名，喇嘛僧便把他薦到鐵小貝勒的府中。

本想鐵小貝勒平日最喜歡會武藝的人，一定能對孟思昭另眼看待。可是想不到孟思昭一到鐵貝勒府，鐵小貝勒見他衣服襤褸，相貌不揚，便沒有怎樣注意他，竟派他到馬圈中去做刷馬的賤役。孟思昭本來性情孤高狂傲，他見鐵小貝勒對他不加重視，他也就不願再顯身手，以邀恩寵，所以他在這裏只想暫且耐時，將來張萬頃的案子一冷了，自己再往外省去闖蕩。倘能得些事業，便親往巨鹿去迎娶俞秀蓮姑娘。

不料後來卻遇着了李慕白，李慕白能於賤役之中看出孟思昭是位英雄，孟思昭就不禁感念知己之情。而且李慕白的名聲、武藝和人品，尤為孟思昭之所傾慕，所以當李慕白臥病之時，孟思昭便殷勤服侍。

相處多日，二人的友情日深，孟思昭就想要把真實姓名和來歷一一告訴慕白。不料這話尚未出口，李慕白就把他自己戀慕俞秀蓮的事情，無意之中向孟思昭說出來了。雖然李慕白說得明白，他與秀蓮姑娘毫無越禮的地方，而且因為事情的不可能，早已不敢有什麼希望了，可是孟思昭聽了，心中卻十分難過，他就想：「李慕白早先曾向秀蓮比武求婚，後來又幫助他父女殺退仇人，並為俞老鏢頭打點過官司；俞老鏢頭死在半路，也是李慕白幫助給葬埋的。雖然李慕白是個光明正大的人，不能與秀蓮有什麼曖昧之事，但他們在路上相處多日，彼此必有羨慕之情，只因為我孟思昭一人，使他們不能彼此接近。秀蓮對於李慕白的恩義不能報答，內心不知要怎樣傷感；李慕白是因為在秀蓮身上失了意，所以他才志氣頹靡，才發生迷戀謝翠纖，以及坐牢得病種種事情。」

孟思昭如此一想，就覺得自己十分慚愧，十分傷心，暗中責問自己說：「我雖然自幼與秀蓮訂婚，但我們卻未曾見過一面。我在家中不見容於父兄，得罪了豪紳，闖下了大禍，不敢出面見人。如今做着刷馬的賤役，自身衣食都不能維持，我又哪一點配與秀蓮姑娘成為夫婦呢？反觀李慕白，不但他人才出眾，武藝高強，而且在京中又有很大名聲，認識許多好友。秀蓮若嫁了他，也不辱沒了她的才貌，我何必在其中作梗呢！」所以後來他讀了德嘯峯給李慕白的信，知道秀蓮姑娘將要來到北京，因為一時的傷心難忍，露出形跡來，便被李慕白識出。他當時奪門而逃，就想：「李慕白如今既知道自己是孟思昭，他縱是傷着心，也要等俞姑娘來到，促成自己婚事。到時自己又有什麼臉面去見秀蓮姑娘呢？」所以孟思昭才借馬盜劍，走出北京，迎到高陽道上，想與苗振山、張玉瑾拚死，以酬李慕白知己之情，而成全俞秀蓮終生的幸福。

如今他簡略地把內心的衷曲都向李慕白傾出，雖然話才說完，傷處就是一陣劇痛，頭部發昏，暈了半天，方才呻吟着緩醒過來，但他的心中此時是快慰極了，便微睜開他那雙大眼，瘦臉上湧出微笑，向李慕白說：「李大哥，大英雄應當慷慨爽快；心裏覺得可以做的事，便要直接去做，不可矯揉造作，像書生秀才一般。還是那句話，俞家姑娘雖與我有婚姻之名，但我們卻一點緣分也沒有。我若活着也是無力迎娶她，何況現在我又快要死了呢！李大哥你既對她很有恩情，又有德嘯峯等朋友們給撮合着，你就不妨應允了，姑娘也可因此得個依靠。至於我，你應當認為我就是鐵府馬圈裏的小俞，不要想着我是什麼孟思昭！」

李慕白本來聽孟思昭說了他以往的事情，心裏就像劍扎槍戳一般的難過，用自己全身的力氣都壓制不住那汪然的眼淚。本想要跟孟思昭去解說爭辯，表明自己當先與俞姑娘是毫無私情；甚至同行千里，彼此並未說過幾句話，你不應當以為我和俞姑娘就是有什麼難割難捨之處。同時又想對孟思昭表明，即使孟思昭死了，自己也不與姑娘成親。這並不是自己固執，實在是我們這多日的友情，和你因我而身受重傷之事，將使我終生痛惜，我還有什麼心腸再去娶俞姑娘呢？

這許多話都憋在李慕白的心中，李慕白本要趁孟思昭神智清醒時向他說出。可是又知道孟思昭的性情最是激烈，或許他聽了自己的話，覺得不順耳，立刻能吵鬧幾句，然後氣絕身死，那樣，自己必更要終生悔恨了！想要不說吧，但心臟都像一段段的被割裂了。當下低着頭，咬着牙，兩隻手緊握着，那眼淚就像泉水似的不住地向下流。這時史胖子也在旁邊，他聽了孟思昭那些話，又見了李慕白這種情景，把他為難得也怔怔地一句話也不敢說。

此時，孟思昭又閉上眼呻吟。史胖子就一拉李慕白的胳臂，李慕白皺着眉，拭着淚，跟着史胖子到了屋外。史胖子就嚴肅地向李慕白說：「孟思昭這人我佩服他，真是個好朋友！他剛才說的那些話是有多麼痛快！」李慕白剛想把自己要分辯的話向史胖子去說，史胖子已明白他的意思，就說：「我也知道，李大爺你也有你自己的難處，可是現在你千萬別向他分辯，他沒有那麼大的力氣。只盼望他的傷勢能夠好一點，不至於死了，以後的事就都好辦！」李慕白悽楚地落着眼淚，點了點頭，又轉身進屋去了。

史胖子望着李慕白的背影，不禁點着頭，自己心裏說：「這麼大的英雄，正在年輕力壯，卻叫感情折磨成這個樣子。以前我還以為就是那謝翠纖纏了他，我想剪除了那胖盧三、徐侍郎，把他的情人還給他，也就完了，他也就不必再害相思病啦。沒想到他卻還有俞姑娘這麼一件事呢！現在弄得一個是受了重傷，眼看着就要一命嗚呼；一個是又害相思病。果然李慕白這樣下去，他可就完了，叫我史胖子有什麼力量去幫助朋友呢！」史胖子歎息了半天，心裏又納悶，覺着像李慕白、孟思昭這兩個小伙子，為一個俞姑娘竟落得這樣，自己實在是不明白。同時又慶幸自己，多虧有這一身胖肉，蠢得難看，才得不到姑娘的愛憐，也就害不了相思病。迎着寒風站了半天，看看店中的夥計和客人們來來往往，都像比李慕白、孟思昭他們舒適似的，心說：「我史胖子也倒霉，怎麼單交了這麼兩個朋友呀？可是無論交情深淺，總是朋友一場，能夠看着他們害相思病不管嗎？」一想到這裏，又不禁笑了。

此時孟思昭的呻吟之聲更慘，史胖子趕緊轉身進屋。只見自己那個夥計和李慕白，全都在炕頭望着孟思昭，直着眼着急，沒有一點辦法。孟思昭呻吟了半天，忽然他睜開眼睛大罵道：「苗振山，你憑仗暗器傷人，能算是好漢嗎？」又斜着眼望了李慕白一下，就帶着悲慘痛苦的神色說：「慕白大哥！」李慕白趕緊趴着頭問道：「兄弟你有什麼事？」孟思昭的眼角迸出幾點眼淚，話卻說不出來。接着就是一陣痙攣，把嘴張開，頭沉下，眼睛翻起。

李慕白大驚，趕緊去握他的手，只覺得他的手漸漸涼了，硬了。李慕白就哽咽着痛哭起來。旁邊史胖子也抹了抹眼淚，然後他就把李慕白拉起來，說：「李大爺，這哭哭啼啼的事兒，是謝翠纖、俞秀蓮幹的。咱們是打江湖的好漢，若是這樣兒，可叫人家笑話。現在孟二爺是死啦，趕緊就買棺材把他埋了。咱們還得趕緊回北京城，找苗振山、張玉瑾拚命去呢！」說着就叫過店家來，叫他那小夥計跟着去買棺材。這裏李慕白依舊不勝感傷，彷彿振作不起精神來。

少時史胖子的那個夥計，同着棺材匠，抬來了一口柳木棺材，就將孟思昭的遺體盛殮了，李慕白流着淚，並將他生前帶到高陽來的那口寶劍，也就是鐵小貝勒送給李慕白的那口劍，很珍重地放在孟思昭的棺中。李慕白撫着棺哭了一場，然後向店家商量，打算借地方暫且將孟思昭葬埋。

那店家帶着李慕白和史胖子出去奔走了一天，結果才在城南找了一塊地——這地方名叫黃土坡，一道低低的土山，山下有幾畝田地，就是那店掌櫃的親戚朱姓的。經這店掌櫃說着，李慕白並送了朱姓幾兩銀子，這才允許把人寄葬在這裏。

到了第二日，便將孟思昭下了葬，李慕白並叫人刻了一塊短碣立在墳前。寒風蕭蕭，吹着黃土坡的塵土，李慕白望着墳又灑了幾點眼淚。旁邊史胖子就催李慕白跟他回到店中，問李慕白說：「李大爺，現在孟二爺是已經入了土內，人死不能復生，你也就不必再難過了；再那俞姑娘的事，現在也不必提。只是苗振山、張玉瑾等人，此時恐怕他們早已到了北京，他們到北京一找不着你，一定要說你是因為怕他們才逃出來的。我想這口氣你得給咱們爭爭，趕忙回去鬥一鬥他們，也替孟二爺報報仇！」史胖子把這話連說了幾番，李慕白也是悶悶地坐着，一句話也不回答。實在他是淨盤算如何應付俞秀蓮姑娘之事，並不急於去與苗、張等人爭強鬥氣。

史胖子在旁說了半天，見李慕白全然不理，他都有些氣了，就站起身來，捋着袖子，露出他那粗壯的胳臂，就說：「李大爺，到底你是打算怎麼樣？孟二爺可是為你鬥苗振山，他才死的。那他雖死也是好漢子，也教人佩服，你現在怎麼樣？你若是打算永久在這兒住着給孟思昭看墳，那我也不管你，我可要走了。憑我史胖子，也要回到北京鬥一鬥他們去，到時給你看看。」說時他氣忿忿地要叫他那個小夥計收拾行李，即刻就要回北京去。不防此時李慕白一聳身起來，推了史胖子一把，史胖子的肥屁股就撞在牆上。李慕白發怒道：「簡直你們都是在愚弄我，我李慕白做事有我自己的主意，豈能隨着你們左右。」

史胖子靠着牆，翻着眼睛瞧了李慕白，他又不禁眯嘻地笑着，就說：「那麼李大爺，你到底回北京不回呢？」李慕白冷笑道：「我怎麼不回去？我在北京還有許多旁的事情要辦。」遂就上前拍了拍史胖子的肥肩膀說：「老史，你是好朋友，我姓李的知道，將來咱們一定要深交一交。可是，我要求你，現在我的一些事情，你不要在裏面搗亂行不行？」史胖子笑道：「我搗亂？我全是為朋友好啊！」李慕白微歎着點頭，說道：「我曉得你都是好意，不過我李慕白的事情，卻不能像你看的那樣省事！」說着就叫那小夥計出去，把孟思昭騎來的那匹馬給他備上，遂就動手去收拾隨身的行李。

史胖子這時發怔，想着李慕白說的話也對。依着自己，那次就幫助他越獄出來。後來自己把胖盧三、徐侍郎剪除了，就叫李慕白接了翠纖去過日子了。自己要是李慕白，這些事早就完了，可是到了李慕白的身上就是這樣麻煩。現在又加上俞姑娘這件膩人的事，恐怕還是不能痛痛快快的依着孟思昭的遺言，就與俞姑娘成了親事。

這樣想着，他便以冷笑的眼光看着李慕白。只見李慕白打好了隨身的小包裹，又過來向史胖子說：「老史，我現在就動身回北京。在北京把我的事情辦完了，我還要離京南下，回南宮縣我的家鄉。老史，你若是暫時不離開此地，可以等我幾天，我就回來，咱們再見面。」

史胖子卻搖頭說：「我還不一定往哪裏去呢！咱們後會有期吧！」李慕白點頭說：「也好，反正我在一個月內外，必要回南宮家鄉去。以後你若有什麼事，可以到南宮去找我。」史胖子點頭微笑，說道：「好，好！以後我免不了有事要求你李大爺。」然後又說：「這裏的店錢你都不用管了，我們還得住兩天才走，到時我就一塊兒算清了。」李慕白曉得史胖子不像自己和孟思昭，他在江湖上混了這些年，手中很有幾個錢了，便點頭說：「好，謝謝你了。」

這時史胖子的夥計和店家，已把孟思昭由鐵府騎來的那匹黑馬備好。李慕白佩劍牽馬出了店門，史胖子和他的夥計送出了店門。李慕白上了馬，向史胖子抱拳，面帶着感謝的神色說：「再會吧！」史胖子也抱拳說：「再會，再會！祝你李大爺諸事順心！」李慕白便揮動絲鞭，這匹馬迎着凜凜的北風，古道颺塵，連夜趕回北京去了。

這裏爬山蛇史胖子在送走李慕白之後，他就望着他那個小夥計，不住地微笑，說：「徒弟，收拾着東西，咱們爺兒倆也走吧！」

第二十七回　血湧刀橫寒宵驚慘劇　心枯淚盡風雪別燕都

李慕白連夜趕回到北京，這日黃昏時才進了城。他將馬匹行李送到法明寺的寓所，當時就到了德宅，在那客廳中對燈感歎，把孟思昭身死的事說了。說的時候他低着聲音，惟恐又被秀蓮姑娘隔窗聽見。德嘯峯聽罷，也不禁歎息，說道：「孟思昭這個人可也太性傲了，怎麼會一個人就可以跑到高陽，迎着苗振山那些人去拚命？如今死的這樣慘，把俞姑娘抛到我這裏，可怎麼辦呢！」搖晃着頭，歎息了半天，忽然他又高興起來，笑着說：「慕白兄弟，我還告訴你，說起來這才真叫冤冤相報呢，你猜怎麼着，那苗振山來到北京後，卻叫俞姑娘給殺死了，俞姑娘也可稱是替夫報仇啊！」

李慕白一聽，十分驚訝。德嘯峯就把李慕白走後，苗振山、張玉瑾等人來到北京，頭一個就與銀槍將軍邱廣超，神槍楊健堂鬥了起來；苗振山用暗器將邱廣超打傷，至今尚未痊癒。後來苗振山在北京就任意橫行，早先寶華班的那個翠纖原來是苗振山的逃妾，苗振山就找着她，要置她母女於死地。翠纖的媽媽就來到這裏求救，事被俞姑娘所聞，便去保護翠纖母女，打傷了苗振山手下的兩個人。到了第二天，俞姑娘就去找苗振山，將苗振山誘往郊外，用刀砍傷。苗振山被他們手下的人抬進城內，就因傷重死了。那張玉瑾卻不願打官司，找到這裏來，要與俞姑娘訂期決鬥，可是被鐵小貝勒攔住了，張玉瑾等人也被提督衙門派官人給驅走。他們還氣忿不服，那夜內又來到這裏意圖行刺，也是被俞秀蓮姑娘趕走了的。

德嘯峯把這些事詳細地對李慕白說了，說時他頗為興奮。李慕白聽着也很是驚訝，第一是想：俞秀蓮竟能殺死苗振山，趕走了張玉瑾，她的武藝一定比早先更是進步了。可是她的未婚夫現在已然亡故，她的身世卻太可憐了！因此由一陣愛慕之情，又轉為惋惜。第二是想：不料那謝纖娘原是苗振山的逃妾，怪不得她總似心中有什麼難言的事，而且常說什麼江湖上沒有好人。她本來對自己很有情義，後來因為自己打了胖盧三，她又忽然對自己變為冷淡了，那時自己還不明白。到現在才知道原來她是苗振山的逃妾，因為她受了苗振山的凌虐，才懼怕江湖人。直到現在，恐怕她還以為自己也是苗振山一流人呢！一面想，一面皺着眉歎氣，德嘯峯在旁是不住地抽水煙。

少時，德嘯峯咳了一聲，問李慕白吃了飯沒有。李慕白卻搖頭說：「此時我也吃不下，只是我跑了一天，還沒洗臉；你叫人先弄點臉水來。」德嘯峯就叫壽兒去打臉水，並吩咐廚房做兩樣點心來。壽兒答應，出了客廳，少時就端進洗臉水來。李慕白洗過臉，雖然容顏煥發了些，但他依舊不住地歎息。德嘯峯坐在旁邊，一面抽着煙，一面像在想什麼。

少時廚子把酒飯送上來，卻是一壺酒、兩盤涼葷和兩盤油煎餃子。德嘯峯就招呼着李慕白說：「兄弟，你喝盅酒，用些點心。現在天還早，你先不用忙着回去，咱們今天總要談出個辦法來才好。」李慕白心中卻想着怎樣推脫俞姑娘的事，聽德嘯峯這樣說，他也就落座，喝了一杯酒，說道：「現在我已決定辦法了。明天我就去向鐵二爺和我表叔辭行，我就要回南宮家鄉去了！」

德嘯峯聽李慕白說是要回家鄉去，他就不禁一怔，趕緊問道：「你回家去，幾時才能重到北京來呢？」李慕白說：「我此番來到北京，已然半年多了，雖然事情沒有找成，可是交了許多朋友，尤其是大哥，對我的種種關心和幫助，真使我感激。我回家以後，只要沒有什麼旁的牽累，我一定要常看大哥來。」

德嘯峯搖頭冷笑着說：「兄弟，你別跟我說這些話，你我的交情說不着什麼叫幫助、什麼叫感激。我德五生平交朋友，最是赤膽熱心，尤其是我對於你，敢說曾有幾次，是拿我的身家性命來維護你！」德嘯峯說到這裏，用眼看着李慕白，只見李慕白低頭長歎，眼淚一對一對的落下來，遂就接着說：「這些話我說出來，並不是教你答情；實在是求兄弟你體諒體諒我的苦心。俞秀蓮……」

說到這裏，他驀覺得聲音太大了，便又壓下聲兒說：「我跟那位姑娘本不相識，我把她請到北京來，是為與你見面。可是你始終躲避着人家姑娘，教姑娘在我家裏住着，並且險些給我惹出官司來，你完全不聞不問，將來可教她怎麼樣呢？難道永久教她在我這裏住着嗎？也不像話呀！

要說由着她到別處去，她現在是父母俱死，未婚的丈夫才有了下落，可又沒有了性命。婆家既不相容，娘家又沒有人。一個十七八歲的大姑娘，就是會使雙刀，不怕強暴，可也不能永久在江湖上飄流呀！」李慕白聽了德嘯峯這話，覺得說得都對，句句感動着自己的心，可是自己實在想不出什麼好的辦法來，能夠給俞秀蓮姑娘找一個歸宿。

德嘯峯說完了那些話，就見李慕白只是點頭歎息，卻不說什麼。德嘯峯心裏實在有些氣憤，就想：你這樣的英雄，竟不知痛痛快快地把這件事成全了，叫朋友們也放心。於是就正色說：「兄弟，現在苗振山已死，張玉瑾是被驅出北京，暫時總算沒有人與你作對了，你也可以安心了。現在咱們要說老實話，俞秀蓮姑娘的人品武藝，本來是你所羨慕的。記得夏天你在這裏也對我說過，因為俞秀蓮已許字他人，不能與你成為夫婦，這件失意的事，使你終身難忘。你的那些頹廢、悲傷，也完全是因此事而起。可是，現在這件事卻好辦了。

「孟思昭已然死了，俞秀蓮雖是他的未婚妻子，實際上二人連面也沒見過；她現在要改嫁，也說不了什麼失節；至於你，可以爽爽快快地與秀蓮姑娘成親，幫助秀蓮姑娘把她父母的靈柩運回。你們夫婦或在家鄉居住，或到北京來，如此不獨俞秀蓮終身有了依靠，你也心滿意足了。大丈夫做事總要體念別人，不可淨由着自己的脾氣，把好事往壞裏辦。現在只要兄弟你一點頭，俞秀蓮那裏由我們去說，就是將來辦喜事，找房子，一切都有哥哥給你辦。」

說時他含着笑，用眼去望李慕白，心裏想着：我把話都說到這裏，你不給朋友一個面子嗎？

不料李慕白聽了德嘯峯的話，雖然很露感動之色，但卻仍舊不住地搖頭，並且冷笑着說：「這件事是絕不能辦的。我如不認識孟思昭，孟思昭若不為我而慘死，事情或者還可以斟酌。現在……」說到這裏不禁又滴下眼淚來，歎了一聲說：「孟思昭因疑我與俞姑娘彼此有情，他才慷慨走出北京，為我的事情受傷死了。現在他的屍骨未寒，我若真個娶了俞姑娘，豈不被天下人笑我嗎？而且我的良心上也太難過！」

德嘯峯聽李慕白說這樣的話，就說：「你也太固執了！那麼你想俞姑娘的將來怎麼辦呢？你與她的父親相識，而且又住在鄰縣，就以鄉誼來說，你也得給這孤苦可憐的女子想一個辦法呀？」李慕白說：「自然，我們得盡力幫助俞姑娘。據我所知，俞老鏢頭在巨鹿還有點產業，並有幾個徒弟。我可以把他們找來，叫他們或把俞姑娘送往宣化，或是接回巨鹿。」

李慕白說完這話，自己覺得這個辦法是很好的了。那五爪鷹孫正禮等人，一定能夠把他師妹安置好了。何況俞家又是巨鹿縣的土著，在家裏未必沒有什麼親友啊！德嘯峯卻不住地冷笑，認為李慕白這是故意逃避責任，便說：「將來的事現在我也不管了。只是孟思昭已死，這事絕瞞不住俞姑娘；我得把她請出來，你把孟思昭身死和葬埋的情形，當着面告訴俞姑娘。」說着站起身來，就要到裏院把俞秀蓮姑娘請出來。

李慕白本不願見俞姑娘之面，看了德嘯峯這樣的舉動，他未免有些驚慌，趕緊放下酒杯，起身把德嘯峯攔住就說：「大哥，你何必立刻就要把俞姑娘給叫出來，告訴她孟思昭的事，教她當時就痛哭起來呢！我說是要走，至少也是一二日，一定能夠見着秀蓮，把我和孟思昭的事，全都詳細地告訴了她！」說話時，李慕白憔悴的面龐和憂鬱的眼光，教德嘯峯看着也是不禁痛心。他就跺着腳說：「兄弟，你可真急死我了！告訴你，咱們兩人自相交以來，也快有一年了，什麼馮家弟兄和黃驥北、苗振山的事，都不教我着急；只有你跟俞秀蓮這件事，真叫我看着焦心。好容易把孟思昭找着，偏偏他沒造化，又死了！」說着把身子往椅子上一倒，不住地搖頭歎氣。

李慕白知道德嘯峯是個熱心直性的人，假若自己應許了與俞秀蓮成婚，他一定要歡天喜地，當時什麼話也沒有了，可是他哪裏曉得我自己的難處呢！當下給德嘯峯斟了一杯酒，兩人又談起話來，德嘯峯又借題發揮了一大篇話。總之他是主張李慕白與俞秀蓮結婚，兩全其美，然後他騰出個院子來，請李慕白夫婦住。以後或是湊本錢給李慕白開鏢店，或是幫助李慕白在官場中覓前程。李慕白聽德嘯峯這樣說，他一點也不表示態度，心裏卻覺得德嘯峯雖然是一位熱心腸、有肝膽的好友，但並非自己的知己，自己也就不必再向他多說了。

李慕白吃過飯，也微有醉意，就向德嘯峯告辭，說是明天自己一定來，有什麼話再商量。德嘯峯要叫車把他送回去，李慕白卻搖頭說：「不用了！天還不太晚，我慢慢地就走回去啦！」德嘯峯叫壽兒把李慕白送出大門外。李慕白拖着沉重的腳步往東四三條西口外去走，心裏感覺得悲痛萬分。又因為喝了幾盅酒，胸口覺着微痛，頭眼發暈。

此時已打到二更了，只為天空陰雲密佈，所以不顯得怎樣昏黑，仰臉望着天，只覺有一點似雨非雨似雪非雪的東西往臉上落。寒風吹得倒不甚緊，街上也還有往來的車馬行人，李慕白就雇了一輛車往南城去走。

那趕車的一邊搖着鞭子，一邊抽着短煙袋，並且彷彿感歎地說：「天氣真冷啦，都下了雪啦！」李慕白在車裏往外去看，只見四周是深青的夜色，車旁掛着一個紙燈籠，射出暗淡的燈光來，可以看見一片一片的雪花雜亂地往下落着。李慕白就想自己離家已有半年多了，叔父那裏只來了兩封信，自己也沒有信回去。這樣一想，覺得自己確實是應該回家看看去了。

車往南走出了城，雪越發下得緊。李慕白忽又想起，在夏天時，有一日自己由德嘯峯的家中出來，就遇見雨，自己就到了寶華班纖娘那裏。那天的雨是越下越大，纖娘就留自己在她那裏住宿。回想起來，自己那時的心境自然是過於頹廢，行為太不檢了。可是纖娘對於自己的情義也真不薄呀！那夜我由她的枕匣之中，發現了一口匕首，就覺得她的身世必有一段極悲慘的事。可是總是未得詳細問她，她也不肯實說。如今才知道她原來是由苗振山家中逃出來的，她的父親就是被苗振山打死的。此次苗振山到北京來，若不是有俞秀蓮救護她，恐怕這可憐的女子早就遭了苗振山的毒手了。想到這裏，覺得應該到謝纖娘那裏看看去，因為一二日內自己就要離開北京走了。此後縱使纖娘能夠病傷痊痛，我恐怕也不能再與她見面了。無論如何，這一點餘情也應該結束了啊！這樣想着，就覺得男女有愛情實在是一件最痛苦、最麻煩的事，人生也太無味。

車走到虎坊橋，李慕白叫車住了。給了車錢，自己冒着雪，踏着地下的濕泥，走進了昏黑的粉房琉璃街，找到謝纖娘住的門首。只見兩扇破板門緊閉着，李慕白上前敲了敲門。少時裏面有男子聲音問道：「找誰呀？」李慕白就說：「我姓李，來這裏看看謝家母子。」裏面把門開開，出來一個拱肩縮背的男子，正是這院子裏住的于二。

于二看見李慕白那昂藏的身材，就問道：「是丞相胡同住的李大爺嗎？」李慕白點頭說：「我今天晚上才進的城。聽說纖娘這幾日受了欺負，我特來看看她。」于二說：「可不是！這幾天的事真夠她們娘兒倆受的。幸虧有那位俞姑娘，把苗老虎嚇得不敢再來了，可是纖娘的病現在更厲害了。」說着回身到了謝家母女住的屋前，隔着窗子叫道：「謝老嫂子，謝老嫂子！李慕白李大爺來啦。」裏面的謝老媽媽答應了一聲，接着又是纖娘的呻吟痛楚之聲。

少時屋中的燈光一亮，謝老媽媽開門出屋，見着李慕白，就像見了親人一般，「嗳喲」了一聲說道：「我的李老爺，你可盼死我們娘兒們啦！你快看看去吧，再晚一步，你就見不着你的翠纖啦！」

李慕白見謝老媽媽對他這個樣子，他既覺得厭煩，又覺得悲痛。進到屋內，就聞見有一種濃烈的穢氣。炕頭放着一盞暗淡的油燈，這麼冷的天氣，屋中也沒有火爐。那纖娘就躺在炕上，她一見李慕白進屋，把被角微微掀起，露出她那散亂的頭髮和憔悴得更不成樣子的臉龐，說道：「李大爺，你才來呀！我現在就剩着一口氣兒，要見你一面了！」

謝老媽媽站在李慕白的身旁，不住地抹眼淚，她剛要把苗振山來找她們，多虧有那位俞姑娘給救了的事詳細說給李慕白聽，李慕白卻擺手說：「不要說了，德五爺把那些話全都告訴我了。現在就是纖娘，她這病怎麼樣了？你們請了大夫沒有？」謝老媽媽哭得眼淚往嘴裏流，說道：「哪有錢請大夫呀！李大爺上回借給我們的那錢，現在也快花完了，眼看着我們娘兒倆又要挨餓了。翠纖的舅母金媽媽，現在又一死兒逼着我們搬出去！」

李慕白皺着眉，心裏正給她們打算着。這時纖娘又呻吟了一陣，她就說：「李大爺，請你也不用再問我們啦，反正我的病是沒有指望啦！我死了也不要緊，我的媽，她還不太老，還可以給人家去使喚，或是要飯去！」謝老媽媽在旁一聽她女兒說的這話，她便放聲大哭起來。

李慕白本來極力狠着心，但是看此情形，使得他心中又不禁發軟了，連喚了幾聲，就勸慰謝纖娘說：「你何必要說這樣的話！你才二十多歲的人，過些日病好了，再想法生活。那苗振山是死了，也不能有人再來逼你們的命了！」纖娘又流了一些眼淚，睜着眼，藉着昏暗的燈光去看李慕白。也不曉得這時她的心裏是悔恨還是悲傷，就用一種極低微的哭泣聲音，向李慕白說：「李大爺，我當初錯打了算盤啦！」

李慕白明白纖娘現在是後悔了，早先她以為自己也是苗振山那樣的惡人，所以她才甘心願嫁徐侍郎，卻不願嫁自己。想起在校場五條的那夜裏，自己前去找她，要把她救出，那時她不但不明白自己的好意，反倒向自己說了許多無情無義的話。像這樣的女人，自己憐恤她則可，何必還要在這個時候對她戀戀不捨呢？「我李慕白一生的事，都是被這柔軟的心腸給害了！」於是他把精神振作些，爽直地向纖娘説道：「你這話我都明白了。可是，事到如今，後悔也沒有用了。我來到北京雖然不到一年，但人情世故，一切我早先所想不到的事，都嘗過受過了。早先那些傻事，我決不再幹了！」

纖娘一聽李慕白説了這話，她心裏完全冰冷了，眼淚卻也不再往下流了。又見李慕白歎了一口氣説：「我現在比你們還要可憐，被事情折磨得心都碎了。我想一二日內就離開北京，此後也許永不再到北京來了。所以，咱們認識了一場，今晚大概是最後的一面。你現在弄得這個樣子，我雖無力救你，但也不能一點法子不替你們想。明天午後，你們可以到我廟裏去一趟，我給你們再借一二十兩銀子。你先把病治好，你們母女再去謀生路吧！」説着就要出屋。

謝老媽媽聽説李慕白要走，本來就有些着慌，可是後來又聽説李慕白又要借給她們錢，不由又喜歡了。剛要道謝，卻見纖娘彷彿有些生氣的樣子，微微抬起頭來，向李慕白説：「李大爺你走你的吧，奔你的遠大前程去吧！我們現在也用不着什麼錢，李大爺留着自己作盤纏吧！今天咱們還能見這一面，就算沒白認識了一場……」説到這裏，纖娘悲痛不勝。李慕白也是心如刀絞，同時又有些生氣，本要和她辯駁辯駁，但又想：自己何必再惹出許多麻煩來呢！於是歎道：「纖娘，你若仍然覺得我李慕白不是人，我也不必和你爭論，以後你慢慢想去吧！我走了！」説畢，轉身出屋，一步邁到門外，只覺得寒風挾着雪花迎面打來，天上陰沉的更是難看了。

于二由他的屋裏出來，跟着李慕白去關門。並問説：「李大爺，你回去呀？」李慕白用沉重的腳步踏着地下濕泥亂雪，答應了一聲，這時聽屋裏的謝老媽媽像鬼嚎似的叫了一聲，接着她就大聲哭着說：「我的孩子呀！你這可是坑了我啦……」

李慕白立時大吃一驚，趕緊跟着于二搶回到屋裏去看，只見炕上、被褥上濺了一片鮮血。纖娘頭髮散亂，兩手緊抱着前胸，渾身亂顫着，連呻吟全都呻吟不出，一口匕首橫放在枕畔。謝老媽媽是趴在纖娘的身上痛哭。李慕白趕緊把謝老媽媽拉開，藉着那昏暗的燈光去看，只見那血色紅得怕人。

這時房東金媽媽聽見聲音，趕緊由被窩裏爬出來，披着皮斗篷，跑過來看，並指着謝老媽媽說：「你們這不是成心害我嗎！白住我的房子，還幹這些事！把我的房子也給弄髒了！」說時她就要揪住謝老媽媽不依。李慕白卻上前攔住，瞪起眼來說：「你別發愁！出了什麼事，毀了你什麼東西，都有我姓李的賠你。現在纖娘她是自己用刀扎傷的，先救她要緊。你別來到我們的跟前搗亂！」金媽媽也認得這對她發橫的人，就是李慕白。李慕白打過胖盧三，北京城的光棍們全都怕他，金媽媽自然也不敢再說什麼了。

李慕白把金媽媽壓下去之後，回身再看那以匕首自刺前胸的纖娘，只見她連身體的牽動全都停止了。李慕白大驚，趕緊用手去抬她的胳臂，只覺得冰涼而且無力。李慕白立刻眼淚似湧泉一般地滾下。此時謝老媽媽在旁喚她女兒，並不見答應，趕緊擎起燈來去看。看見她女兒那種悽慘的樣子，她知道她女兒是已經死了。立刻顫抖抖地把燈放下，鼻涕眼淚同時流出，趴在纖娘的身上痛哭起來。

金媽媽也近前看了看，臉上也變了色，就說：「人是不行了。你們是趕緊到舖裏看棺材去呀？還是報官去呢？」李慕白把眼淚拭了拭，便說：「她雖然是用刀自己刺死的，但並不是誰逼得她如此。難道還非要報官，跟誰打官司嗎？」

旁邊于二見纖娘死得這樣可憐，他也不禁十分難受。先把謝老媽媽勸得不哭了，然後就說：「天這麼晚了，外面又下着大雪，壽衣和棺材也買不來。再說也沒有錢呀！」又向李慕白說：「沒有別的說，李大爺跟她好過一場，現在她死得這麼慘，李大爺還得行點好事，拿出點錢來，葬埋了她！」

李慕白拭淚點頭說：「那是自然，想不到我竟眼看着她這樣慘死！」說着歎了口氣，又向謝老媽媽說：「明天早晨你到我廟裏去吧，我給你預備下幾十兩銀子。」謝老媽媽這時候已然哭昏了，聽李慕白這樣說，她只是掩着面，點頭應聲。

李慕白不忍再看纖娘那鮮血斑斑的屍體，更忍受不住這屋子裏的愁慘空氣，他就要起身走開。忽然又想到在炕上扔着的那口匕首，恐怕今夜謝老媽媽趁着無人她也自盡了，遂就將那口匕首拿起來，流着淚帶在自己的身邊，然後便搖頭歎息了一會，說道：「我走了！」金媽媽又叮問着說：「李大爺，明天你可得來，反正這件事你得給辦。我們雖說是親戚，可是我在她們身上花的錢、出的力，也夠了。這件事我可真管不了啦！」李慕白正色道：「你放心，明天我來不來雖不一定，但錢總能給她們辦到的。什麼事都有我擔當，即使叫我替纖娘抵命也行。不過你們既是親戚，你就不可再在中間搗亂，不然我是不能依的！」說完這話就出了屋子。于二跟着去開門，李慕白就回身囑咐于二，叫他今夜看守謝老媽媽，免得她也尋了短見。于二連聲答應，李慕白就出門去了。

此時寒風越發凜冽，雪下得更大，鉛色的天空顯出一種愁慘荒涼的樣子；李慕白的心中比冰雪還要冷，兩眼卻是熱熱的。踏着雪，茫然地走出了粉房琉璃街，他竟像連方向也分辨不出了，站着發了一會怔。只見這大街上連一輛車一個行人也沒有，李慕白伸着那凍得僵硬的手，擦了擦眼睛。只見眼淚在睫毛上凍成了冰屑，擦了半天方才擦淨。李慕白認清了方向，就順着大街往西走去。風雪愈緊，行人絕無，只有一條狗追着李慕白亂吠，李慕白的腳步是越走越感覺沉重，好容易方才到了丞相胡同法明寺的門前。

那條狗仍舊跟着他汪汪地亂叫，李慕白生了氣，用手去取懷中藏着的那口匕首，要去把狗扎死。可是當手指觸到那濡血未乾的匕首之時，心中就像被刺了一下的那般疼，站住身，歎了口氣。心裏想：偏偏今天自己又到纖娘那裏去，因為兩三句話的誤會，她就以匕首自刺身死！咳，早知道有今日這樣的悽慘結局，當初自己何必到妓院裏去充嫖客？又何必與一個落溷的女子去談情愛呢？其後，徐侍郎被殺，纖娘下堂養病，自己不再理她也就完了，又何必跟她這樣？彷彿是餘情未絕似的，以致使這一個被辱受虐、窮苦飄泊的女子，才僥倖脫開了苗振山的魔手，卻又死在自己的眼前——「我……我李慕白究竟成了一個怎麼樣的人哪！」心裏想着，自責自恨，眼淚不禁又流了出來。一面探手去叩廟門，雪花一團一團地向李慕白的頭上身上不住地打，彷彿在懲罰他。那條狗像是聞着李慕白的身上有什麼特別氣味，又像是纖娘的幽怨靈魂驅使着它似的，總不肯放開李慕白。汪汪的吠聲，夾雜着叭叭的扣門之聲，在這雪夜裏噪鬧着。

待了半天，裏面才有和尚的聲音問道：「是誰呀？」李慕白應道：「是我，我是李慕白！」和尚把門開開，李慕白道聲勞駕。和尚一面關着門，一面說：「李大爺的那匹馬，我們給買了點草料餵好了。」李慕白說：「謝謝你們了。」又站住身向和尚說：「我才回來，一半天又得走。等我臨走時再給師父們道謝吧！」和尚也說了幾句客氣話，李慕白就進到他住的那跨院裏。只見他騎來的那匹黑馬，繫在廊下，不住地踢着跳着，並且嘶叫着，彷彿是要找他的朋友孟思昭。

李慕白進到屋內，點上燈，默默地坐了一會，那眼淚仍舊不住汪然下落。因為屋中太冷，李慕白便關門熄燈，上炕掩被，仰臥在炕上，眼淚向枕畔流。窗外的馬嘶、遠處的犬吠，更攪得他難以入夢。忽然又想起：自己走後，德嘯峯不會把孟思昭身死的事告訴俞姑娘嗎？倘若他把那話說與了秀蓮，秀蓮立刻能夠冒着風雪，到這裏來向自己追問真情，那時，自己可怎樣對秀蓮去說呢？其實自己居心無愧，也沒有什麼不可以說的。不過那孟思昭究竟是為什麼走的，他對自己和秀蓮之間有怎樣的誤會，臨死之時又說的怎樣的話，豈能都據實告訴秀蓮呢？倘若再叫秀蓮出了什麼舛錯，那時自己更是天地不容了！這樣尋思一夜也沒有合眼。

到了次日，起來開門一看，外面的雪堆得很厚，白皚皚的成了銀妝的世界；天空的雪花雖然依舊飄搖，但已微得很了。李慕白因為惦記着給謝老媽媽借錢的事，便連臉也不洗，拿上德嘯峯的那個取錢的摺子，到銀號裏取了五十兩銀子。及至回到廟裏，雪已住了。廟裏的和尚拿着掃帚正在院中掃雪，一見李慕白，就說：「有一個老婆婆來找你。」李慕白趕緊到了跨院，就見謝老媽媽在廊子下倚着桌子站着，揣着手兒，凍得身上直打戰，兩隻眼泡都哭得紅腫了，加上她那又黃又瘦堆滿了皺紋的臉，十分的難看而且可憐。

李慕白一看見謝老媽媽，便說：「你來了，我替你把錢辦來了。」遂將手裏的一封白銀交給謝老媽媽說：「這是五十兩庫平銀子，你拿了去好好收着。發葬纖娘至多也就用二十兩，其餘三十兩你要小心謹慎地度日，並且想法找個傭工的地方才好，要不然將來是沒有人可憐你的！」

謝老媽媽伸出兩隻胳臂，把那一封沉重的銀子抱在懷裏，眼淚不住地往下流。本來謝老媽媽今天來的時候，金媽媽就教唆着謝老媽媽要藉着纖娘慘死的事，敲詐李慕白一下。謝老媽媽一見李慕白時，本也想要賴住他，叫他給自己的後半輩想辦法。可是如今接到了這麼重，連抱都抱不動的一封銀子，她真感激得流淚了。並且心裏彷彿還有些喜歡，恨不得要趴在雪地裏給李慕白叩一個頭。李慕白不忍看謝老媽媽這個可憐的樣子，就連連擺手說：「你快些回去吧！銀子千萬要好好拿着！」謝老媽媽連聲答應着，緊緊地抱着銀包就走了。

李慕白到了屋內，覺得精神十分不濟，心中尤其抑鬱難舒，便出門到澡堂子裏。本想要睡些時，恢復精神，可是心亂如麻，無論怎樣也是睡不着。看了看玻璃窗上射進些陽光，原來天已晴了。李慕白忽然想起，現在我在北京也沒有什麼事了，為什麼不走呢，現在天晴雪化，大概路上還不至十分難行，我若今天就動身，不到十日也就回到家鄉了。雖然來到北京這半年多，得了些名聲，交了幾個朋友，一時離開此地，心中也不無戀戀，但是又想起來在北京所遭受的這些傷心的事，覺得還是快些離開這裏才好。想定了主意，便出了澡堂，雇車直往鐵貝勒府。

李慕白自從被史胖子找走離京，與鐵小貝勒已有半個多月沒見面，如今相見，李慕白倒覺得很慚愧，就向鐵小貝勒詳述自己此次離京的緣由，並說孟思昭在高陽縣慘死的詳情。鐵小貝勒略略地聽了，就點頭說：「德嘯峯剛才到我這裏來了，他才走了不多時。你的事他也都跟我說了。」李慕白一聽，德嘯峯今天先自己來見鐵小貝勒，心裏就不禁詫異，暗想：不知嘯峯跟鐵小貝勒面前說了些什麼？於是，用眼去看鐵小貝勒的神色。

只見鐵小貝勒今天彷彿不大高興，他很鄭重地向李慕白說：「慕白，你是個年輕有為的人，而且文武全才，人品也很好。憑你這樣的人物，不要說闖江湖，就是入行伍，立軍功，別人也比不了你；不過你可有一件短處，恕我直言，你對於兒女私情看得太重了！」

李慕白一聽鐵小貝勒這句話，正正揭着了自己心裏的傷疤，不由十分慚愧，同時覺得難過，幾乎要流出眼淚來。不過又想：鐵小貝勒這也是局外人所說的話，假若他能夠設身處地替自己想想，他就知道自己的所作所為都非得已。只要是一個有感情重肝膽的男子，遇見了自己這些事，誰也難以脫開呀！他就長歎了一聲。剛要還言，就聽鐵小貝勒又說：「苗振山、張玉瑾那件事，大概已然完了。本來我想着黃驥北把他們兩個人請到北京，至多了像金刀馮茂似的，與你比比武，分個高低勝負，那也不要緊。可是沒想到苗振山、張玉瑾那些人一來，簡直比強盜還要兇！先用暗器打傷了邱廣超，後來聽說又欺佔人家的婦女，鬧得簡直不成話。偏偏你又不知往哪兒去啦！德嘯峯家裏住着的那位俞姑娘又跟張玉瑾有仇，因此幾乎把事情弄大了。

「俞姑娘在城外把苗振山給殺傷，當日就死了。張玉瑾他們雖然沒敢告狀打官司，可是又要跟俞姑娘訂日期拚命，把衙門全都驚動了；黃驥北也弄得尾大不掉；德嘯峯是急躁得了不得。我看着太不像話，才跟提督衙門說了，把張玉瑾等人驅出了北京。現在聽說黃驥北也病了，在家裏忍着，決不出門。你回來了可以放心，絕不能有人再找你麻煩了。

「小俞死在高陽的事，我也聽德嘯峯說了。這件事你也不必難過，因為他走的時候，咱們也並不是沒有攔他。他既一定要盜走了我的馬匹逃走，去跑到高陽，中了苗振山的暗器，咱們可又有什麼法子呢？不過我也覺得他是個年輕的人，這樣死了，未免太可惜些！現在只有那俞姑娘的事。小俞死了，她是更沒有倚靠了，婆家既不能回，娘家也沒有人了，長在德嘯峯家中住着，也有許多不便。依着德嘯峯還是那個主意，他要給你們作媒。」

李慕白聽到這裏，就把頭搖了搖。又聽鐵小貝勒說：「可是我覺得這件事不是勉強的，剛才我也勸了嘯峯半天。現在就問你一句話，你斬釘斷鐵地說吧！到底你喜歡那俞姑娘不喜歡？」說話用眼逼視着李慕白。李慕白這時的面色真變得又紅又紫，他真想不到鐵小貝勒會這樣地問他。本來，憑良心說，李慕白若不愛俞秀蓮，怎能弄得他傷心失意，後來有這許多事情發生。可是現在鐵小貝勒叫他斬釘斷鐵地說一句話，他雖然心裏猶豫、痛楚，但卻絕不敢說模稜兩可的話。

當下李慕白略一遲疑，便正色斷然說：「我不喜歡那俞姑娘！」下面還要用話解釋，鐵小貝勒卻點頭說：「好，這樣就完了。大丈夫應當說痛快的話！可是有一樣，你既是不愛俞姑娘，那麼過去的事就都不能再提了，以後你要打起精神來，好好幹自己的正事。現在你到底是想作怎樣的打算？」李慕白又決然說：「今天或者明天，我就要離京先回家看看去，過幾個月再作計較。也許再回北京，也許往江南去。」

鐵小貝勒又點頭說：「你來到北京這些日子了，也應該回家看看去。那麼你現在的盤纏夠用不夠用呢？」李慕白點頭，連說夠用。鐵小貝勒就說：「好，咱們後會有期吧！將來我這裏如有什麼事情，我再派人去請你。」李慕白說：「二爺待我的恩義，我李慕白沒齒難忘！」說到這裏，自己心中十分難過，鐵小貝勒面上也帶着戀惜之色。又談了幾句話，李慕白就告辭出府。

乘車到德嘯峯家，今天德嘯峯還是愁眉不展，李慕白就提說自己要離京回家。德嘯峯歎了口氣，半晌沒有表示。李慕白又提到那取錢摺子，自己為周濟謝家母女曾花去了幾十兩，說時就要取出來還給德嘯峯，德嘯峯卻擺擺手，說道：「你要是把那錢摺子還我，你就是打算不認得我了。我德嘯峯雖不是富人，但那點錢還不等着用。摺子你先拿着，你若不屑於提用，就可以隨便放置着，這都是小事。最要緊的我就是問你，你對於俞秀蓮還有一點餘情沒有？大丈夫不但要揚名顯身，也應當成家立業。你也親口對我說過，惟有俞秀蓮才配為你的妻子；現在俞秀蓮未嫁，孟思昭既死，我若費些唇舌，給你們撮合撮合，大概沒有不成……」

李慕白不等德嘯峯說完，已然面現悽慘之色，連連搖頭說：「我與俞姑娘的事是決不能再提了，剛才我在鐵小貝勒府已經回覆了鐵二爺！」德嘯峯怔了一怔，就微微冷笑說：「既然這樣，朋友也不能勉強你，那麼你現在是一定要走了，我想送送你！」李慕白說：「大哥也不必送我，我今天大概就要走。」德嘯峯問說：「你出哪一個門？」李慕白說：「我出彰儀門。」說到這裏，歎了口氣，感慨地說：「我李慕白生平交友也不少，但我所敬佩感激的惟有德大哥一人。將來只要此身不死，我必要報答德大哥的厚情！」

說到此處，李慕白不禁產生了一種慷慨悲壯的情緒，黯然落下淚來。弄得連嘯峯的心裏也很難受，連連勸慰李慕白說：「兄弟你何必要說這樣的話，我德五向來交朋友是剖肝輸膽，何況對你！兄弟你雖暫去，將來我們見面的日子尚多。只盼你把心地放寬大些，無論什麼事都不要發愁失意，遇有難辦的事可以來找我，我必能幫你的忙！」李慕白點頭，德嘯峯又曉得李慕白尚未吃午飯，遂就叫廚子擺了幾樣菜，二人又對座飲酒，談了半天。

李慕白因為急於今天動身，喝了兩杯酒，他就向德嘯峯告辭。本來還應當到內宅向德老太太和德嘯峯之妻拜別，但又怕見着俞秀蓮姑娘，所以李慕白只說：「我也不進去拜見伯母和嫂夫人去了。」德嘯峯擺手說：「你不用多禮，我替你提到了吧！」李慕白遂即起身，德嘯峯送他到屏門，二人方才作別。

李慕白坐車回南城，車過粉房琉璃街時，李慕白想要向纖娘的靈柩去弔祭一番。但又想：事情已經完了，何必還去徒惹傷心？所以就坐着車直到南半截胡同祁家門首，進去見了他的表叔祁殿臣。就說自己在京居住，無甚意味，打算要回家去。

他表叔祁主事近來在官場中也頗不得意，又知李慕白來京半載，曾以拳腳驚動一時，並且結識了鐵小貝勒、邱小侯爺這一般闊人，想着自己也無法再為他安頓事了，遂就點頭說：「你要回家去，也很好！將來我遇見好事，再去叫你吧。」遂寫了兩封信，叫李慕白帶回家去，並送他二十兩銀子作為路費。他表嬸並且告訴他許多話，什麼回到家裏都問誰好等等的家庭瑣事。李慕白一一答應。

來升把李慕白送出門首，就說：「李大爺，你幾兒走？先言語一聲，我去幫助收束收束東西。」李慕白隨口答應着，就回到法明寺。他此時事情都已辦完，心身頓感清爽，隨身行李更是簡單。少時就都已紮束完畢，連馬都備好了，然後就向廟中的和尚辭行，並布施了十兩銀子的香資。和尚也很喜歡，打着問訊，祝李慕白一路平安。

李慕白遂牽馬離廟，出了丞相胡同，到大街才騎上馬，搖動皮鞭便往彰儀門去了。才走到彰儀門臉，剛要出城，忽見那裏停着一輛車。德嘯峯由車上下來，身穿便衣，頭戴着小帽，滿面帶着笑容，說道：「慕白兄弟，你真是說走就走！我在這兒等你半天啦，特地送送你！」李慕白要下馬，又被德嘯峯攔住，他說：「你別下馬！我上車去。我也不遠送，只送你出了關箱，我就回去。」說着他跨上車轅，福子趕着車往城外走去。李慕白的馬就靠着車往前走。一在馬上，一在車上，談着話。德嘯峯心裏倒是敞亮快樂，說：「兄弟，你走後，我可寂寞了。」李慕白卻滿懷着惜別之意，尤其覺得德嘯峯對自己如此的厚情熱心，使自己實不禁感激涕零。

這時天上才晴了一會，雪尚未化，忽然陰雲又一片片地飄蕩起來了。北風又呼呼地吹起，吹得樹枝上的雪花往人的臉上去灑。德嘯峯掏出錶來看了看，這時已是下午三點多鐘。他望着騎在馬上皺着眉頭的李慕白，就不禁微笑，又有點歎息，就說：「兄弟，你真是性情傲！昨天才回來，今天就要走。現在已三點多鐘了，你走不到三四十里地，大概也就黑了。我看這天氣怕還要下雪！」

李慕白仰面望着陰沉沉的天空，也覺得會再下一場大雪。忽然又想起夏天自己將俞秀蓮母女送到宣化，由宣化南來，走到居庸關殺傷了幾個山賊。後來就下了一場大雨，淋得自己渾身都濕了，那夜就住在沙河城店房內。次日賽呂布魏鳳翔找了自己去爭鬥，自己將魏鳳翔刺傷。那時德嘯峯也正住在那店房裏，他因看見自己武藝高強，才與自己結交。雖然至今僅僅半載有餘，但人事變遷得極快。自己下獄、染病，受了諸般折磨；德嘯峯也為自己消耗了許多錢財，惹了許多氣惱。但他卻毫無怨言，還要為自己與俞秀蓮撮合。雖然他是不明瞭自己的苦衷和隱情，但他那番好意是很令人感佩的！

李慕白又想道：「如今我匆匆而返，又匆匆而去，並且辜負了德嘯峯的種種好心。若教別人看着，我李慕白是太不懂交情了，心腸太冷了，可是德嘯峯不但不氣惱，反倒這樣懇切地、戀戀不捨地送我，這樣的朋友也太難得了。」於是心中感動，慨然長歎，向德嘯峯說：「大哥，請回去吧！你我兄弟後會有期。大概來年春天，我還要到北京來看望大哥！」

德嘯峯點頭說：「好，好！來年春天，或是你到北京來，或是我派人請你去。不過人事是想不到的，來年還不定怎麼樣呢！」說到這裏也慘然笑了笑，心裏就想着：這半年以來，自己因為李慕白，與不少的人結仇。頭一個冤家是黃驥北，其次是春源鏢店的馮家兄弟和金槍張玉瑾。李慕白走後，俞秀蓮恐怕在自己的家中也住不久。他們全走後，那些個冤家恐怕就要來收拾我了。雖說我住家在京城，而且當着官差，仇人們未必能把我害死，但是禍事恐怕免不了的。不過李慕白現在既是急於要走，這些話自己不便再對他說。

李慕白也看出德嘯峯心裏的事，便慨然說：「我走之後，望大哥也少與江湖人往來，更不可再和那黃驥北惹氣。有什麼人若招惹大哥生氣，也請暫時忍耐着，等我再到北京時，必替大哥出氣！」說到這裏，他勒住馬，眼含熱淚望着德嘯峯說：「大哥回去吧，不必再送我了！」遂就一抱拳，德嘯峯的車也停住了。他在車上也拱了拱手，就見李慕白也露出不捨之意。他一面催着馬，一面回首叫道：「大哥請回去吧！」

德嘯峯直着眼看李慕白的那匹黑馬在雪色無垠的大地上越走越遠，越遠人馬的影子也就越小。郊外幾行枯柳，搖動着枝幹不住沙沙地響，寒風捲起了雪花，好像眼前迷漫着大霧。德嘯峯的手腳都凍僵硬了，趕車的福子冷得直哆嗦，他就問說：「老爺，咱們是回去嗎？」德嘯峯抬頭又往遠處去望，只見早已沒有李慕白人馬的影子了。他不禁吁了一口氣，就悵然若有所失，怔了一會，才點頭說：「咱們回去吧！」福子趕緊把車轉過來，德嘯峯也進到車裏，遂又進了彰儀門。德嘯峯此時心中的情緒實在不好，坐在車裏不住地歎氣。

車才走到虎坊橋，就見迎面走來了一人，彷彿是有什麼要緊事情似的，把車攔住，說：「德五老爺，你把車停一停，我有點事要告訴你！」德嘯峯坐在車裏一看，只見這人衣服襤褸，面黃肌瘦，十分眼熟。想了一想，才記起來，這人卻替李慕白到自己家裏送過信兒，他叫什麼小蜈蚣。遂就問說：「有什麼事，你說吧！」那小蜈蚣吳大走近車來，彷彿很害怕的樣子，低着聲音說：「德五老爺，我正要到你的府上給你送信兒去呢！現在我聽說那金槍張玉瑾並沒回河南，他們在保定住下了。瘦彌陀黃驥北前天還派了牛頭郝三到保定去，大概還是想着要跟德五老爺為難吧！」

德嘯峯一聽，不禁嚇了一跳，心想：果然我沒猜錯，黃驥北還是不肯跟我善罷干休！又想：這小蜈蚣雖然是個窮漢，可是他知道的事兒倒不少，我現在正缺少這麼一個人，於是面上作出毫不在乎的樣子，冷笑了笑，就說：「由他們想法子去吧，我等着他們。」遂又故意問說：「你知道李慕白是上哪兒去了嗎？」小蜈蚣說：「李大爺不是昨天晚上進的城嗎？他沒上德五老爺宅裏去嗎？」

德嘯峯微微笑道：「我是故意問問你，看你知道他回來了沒有。現在告訴你罷，李慕白他又走了，我剛把他送出城去。李慕白此次走，可暫時不能回來了；你若見着黃驥北的人，就可以這樣告訴他們，我德嘯峯並不是非得有姓李的給我保鏢，我才敢在北京充好漢！」

小蜈蚣趕緊陪笑，奉承德嘯峯說：「德五老爺的大名誰不知道，這不是一年半年的了。」德嘯峯就告訴小蜈蚣：「以後聽了什麼事就快趕去告訴我，要是用錢也自管跟我說話。」說畢，就叫福子趕着車走了。小蜈蚣今天巴結了德五爺，他自然心裏十分喜歡。他往茶館打聽關於黃驥北的事情，以便報告德五爺，並去討賞錢。

第二十八回　風雪走雙駒情儔結怨　江湖驅眾盜俠女施威

德嘯峯坐着車回到家裏，心裏總思慮着黃驥北對自己的事，就想：李慕白走了的事必然瞞不住人，我所以叫人告訴了黃驥北，他要是想得開呢，就應當知道我現在已不再借李慕白充英雄，有能耐他可以找李慕白去，卻不必再向我尋釁。可是黃驥北他決不能這樣寬宏大量，也許要趁着我現在沒有幫手了，他就來收拾我罷！

一面憂慮地想着，一面叫壽兒給他換了那沾了許多雪與污泥的官靴。正要再換衣裳，這時俞秀蓮姑娘就進屋來。德嘯峯立刻站起身來陪笑說：「姑娘請坐，姑娘請坐！」心裏卻又窘急着，恐怕俞姑娘又向自己追問孟思昭與李慕白的事，自己無言可對。果然，俞秀蓮開口就問李慕白昨天回來說的什麼？孟思昭到底有了下落沒有？德嘯峯窘得不住歎氣，想了一想，就說：「孟二少爺的消息麼，我可沒聽說。不過李慕白回來了一天，現在他又走了，我才把他送出彰儀門去！」

俞秀蓮一聽，面上立刻變色，趕緊問說：「為什麼李慕白才來了又走呢？」德嘯峯歎道：「李慕白的脾氣很怪，他既要走，誰也攔不住他。現在他是回南宮去了，大概來年春二三月之間，才能再到北京來。」俞秀蓮一聽李慕白這樣匆匆地走去，不禁芳容變色。她咬着下唇，凝想了一會兒，就決定了主意，但是暫時並不言語，只微微地歎息。德嘯峯又說：「姑娘也別着急！就先在這兒住着得了，等李慕白到巨鹿把姑娘的師兄請來再商量辦法。」秀蓮姑娘聽德嘯峯這樣說，心裏卻悲痛地想着：我還有什麼師兄？不過就是父親的師姪金鏢郁天傑，但他遠在河南；還有就是早先給父親做過夥計的孫正禮、崔三和劉慶，但他們又能幫我什麼忙呢？心裏雖然如此想着，表面並不表示什麼，只說：「請五哥歇息吧！」秀蓮姑娘遂就回到她住的屋內，當日也沒有什麼事情。不過天氣越發陰沉，風颳得也很緊。

晚間秀蓮姑娘獨自在燈畔沉思，用銅筷子撥着炭盆裏的灰。她從頭想起，由李慕白到巨鹿找自己去比武求婚，以及這些日他故意躲避自己，就覺得其中一定有緣故。孟思昭的去處，李慕白一定曉得，不過他是不肯見我的面，對我實說罷了。事到今日，自己決不可再避什麼嫌疑，明天趕緊騎馬追上李慕白，向他詳細詢問。他若再不把實話告訴我，那我寧可與他翻臉，使旁人說我是忘恩負義的女子，也不能放他走！當下絕早就熄燈就寢。到了次日，天空又飛起雪花。

德嘯峯有照例的公事，他一清早起來盥洗更衣，就帶着壽兒上班去了。俞秀蓮看德嘯峯走後，她才着手收束她的隨身行李。然後待了半天，她又隔窗看見德大奶奶到老太太房中問安去了。秀蓮姑娘就趁空溜出屋來，一手提着隨身包裹，一手提着雙刀，順着廊子走出，一直到了車房內，就自己動手備馬。旁邊有僕人看見，也不敢攔阻她，就進裏院報告德大奶奶。德大奶奶聽了雖然十分着急，但自己又不能到車房裏去，與秀蓮拉拉扯扯，就打發兩個婆子去勸說。

此時秀蓮姑娘已經牽馬出門，才要上馬，就見有兩個婆子追了出來，一個就說：「俞姑娘，你回去吧！我們大奶奶都要急死啦！她說你要是一走，回頭我們老爺一定要跟我們奶奶大鬧！」另一個婆子就要上前拉俞秀蓮的衣襟，嬉皮笑臉地說道：「我可不能放姑娘走！」秀蓮姑娘用眼一瞪，說：「你少動手！」那婆子嚇得往後一退，一屁股摔在石階上。秀蓮不禁倒笑了，就說：「今天無論是誰也攔不住我！你們回去告訴大奶奶，就說我走了，過幾個月我再來看她。你們老爺跟前也替我道謝！」說着就扳鞍上馬，一揮皮鞭，馬蹄踏着地下的積雪，就直出三條胡同的西口走了。

此時天際的雪花還是那樣，鵝毛似的，輕輕地吹着。大街上也沒有多少車馬，所以俞秀蓮能夠放轡而行。俞秀蓮本來不認得京城的路徑，向人打聽着，才出了彰儀門。一到郊外，行人越發稀少，雪卻下得更大。秀蓮姑娘身上只穿着青布短夾衣和夾褲，被北風吹着未免有些寒冷，她便揮鞭催馬快行。

其實，她由宣化騎來的這匹馬倒是很健壯，不過地下的冰雪太滑，有幾次馬都幾乎失蹄。秀蓮無奈，只得勒住馬慢慢地向前走，心中卻十分急躁、悲憤；她就流着淚暗恨孟思昭：「孟思昭，我為找你真不容易！將來尋到你時，我看你對我有什麼話說！」又想：「李慕白，我知道你不是那冷漠無情的人。可是我父母在時，你倒肯幫助我們；現在我孤苦伶仃，這樣可憐，你卻對我連一面也不肯見，到底是為了什麼緣故呢？莫非你以為我俞秀蓮是什麼江湖淫蕩的女子嗎？」

這樣一傷心，更覺得風寒、天冷、雪大，她就不禁勒着轡繩，低着頭，嗚嗚地痛哭起來，只由着坐下的馬往前慢慢行走。也不知走了多遠，忽聽後面一陣鈴鐺琅琅的響聲，又聽有人喊道：「前面的馬閃開呀！閃開呀！」秀蓮姑娘趕緊回頭去看，就見身後來了一匹黑馬。馬上一個矮胖子，頭戴黑色狗皮帽子，身上反穿着老羊皮襖，皮毛上落着很厚的雪，嘴裏噴着一團一團的白氣。

秀蓮姑娘當時駐馬去看，同時感到驚奇，默默地說：「這是個幹什麼的人呢？」就見這人騎馬來到臨近，只翻着眼睛看了自己一眼，遂就策馬走過。秀蓮姑娘眼望這胖子臃腫的後影和那匹黑馬一顛一顛的樣子，心說：「這莫非是苗振山、張玉瑾的一黨？他們知道自己離京，特地追趕下來，要在道上殺害我嗎？」於是就振作起精神來，用腳拍了拍鞍下雙刀，說：「我既然出來了，還怕什麼？」於是策馬往下走，可是看不見前面的馬影了。秀蓮姑娘此時心中再也不悲傷了，只想着兩件事，第一是決定要追上李慕白，向他問出實情；第二是在路上謹慎防範，若有什麼人意圖暗算自己，自己就揮動雙刀，決不留情。

當日過了永定河，夜內二更時分才走到長辛店，她便找了店房歇下。秀蓮一個孤身的年輕女子，短衣匹馬的，在雪夜之間前來投店，本來很惹人注目，但是秀蓮姑娘態度十分從容鎮定。她就向店家說：「你給我找一間乾淨的房子，馬匹給我餵好了。我是延慶全興鏢店的鏢頭，現在是到大名府去辦事，過些日回來我還住你們這兒！」那店家一聽，哪敢怠慢，就趕緊給秀蓮找了一間乾淨的屋子。秀蓮姑娘提着雙刀和行李進到屋內，店家把手裏拿着的一盞油燈掛在牆上，然後就問說：「這裏有麵飯，姑娘吃過了沒有？」俞秀蓮說：「煮一碗湯麵就是。」店家答應一聲，出去煮麵，並對夥計們說：「東屋裏來了一位保鏢的，手提着雙刀，大概武藝一定不錯。」

此時，秀蓮姑娘坐在炕上，因為炕裏燒着柴草，慢慢的熱了，所以很暖。歇了一會，身體也不覺得疲乏了。窗外寒風依舊吹得很緊，大概雪還沒有住，秀蓮就感歎着想到：「現在自己離開北京有七八十里地了。德嘯峯這時一定急得不得了，依着他是要叫自己嫁給李慕白，但他豈知……」俞秀蓮想到這裏，又芳心痛楚，眼淚不禁落下，拭了拭眼淚，就長歎了一聲，不再往下去想。忽然又記起今天在路上遇見的那個反披皮襖的胖子，那時雪下得很大，路上除了自己再無別人，那個人獨自騎馬而行，可見他也是有要緊的事情。不過總覺得那個人的形跡可疑。

此時，店家已把一碗熱麵端來，秀蓮就問外面的雪還下不下了，那店家說：「雪下得越來越大，我看一天半天怕住不了。姑娘你別着急，在我們這兒多住一二天不要緊。」又說：「大雪的天，路上可不好走；現在到了冬天，劫路的強人都出來了！」秀蓮姑娘冷笑着說：「我可不怕！」店家又用眼看了炕上放着的那一對雙刀，他又看了看秀蓮姑娘那年輕嫵媚的樣子，覺得太不相稱。就想：憑這麼一個小姑娘兒會能夠保鏢？心裏納悶着，可又不敢問，只搭訕着說：「麵要是不夠，姑娘再叫我。」說着出屋去了。

這裏秀蓮姑娘就拿起筷箸來吃麵，才吃了幾口，就忽聽院中有人大聲喊道：「借光呀掌櫃的！你們這住着有一位李大爺沒有？」俞秀蓮一聽「李大爺」三個字，她就吃了一驚，趕緊向外側耳靜聽，只聽院中有夥計的聲答道：「哪個李大爺？是做什麼買賣的？」那人又用很高的聲音喊道：「不是做買賣的，是一位年輕的人，昨天才從北京出來的。我想他因為下雪，大概許歇在這裏了。你們的店裏到底有沒有，這人名叫李慕白。」

此時秀蓮姑娘趕緊把筷箸摔下，走出屋去，就見院中冰雪滿地，天空依舊大雪彌漫。只見院中正是那個反穿皮襖的胖子跟店家問話。秀蓮心裏覺得很詫異，就暗想：莫非此人與李慕白相識嗎？李慕白也住在這店房裏了嗎？因就站在檐下看他們的動靜。只見店家往各屋裏全都問了問，便回來告訴那個胖子說：「這兒住的倒有兩位姓李的，可都是皮貨行的，沒有叫李慕白的。你上隔壁張家店問去罷。」

那胖子站在雪地裏發了一會怔，彷彿還不大相信的樣子，自言自語地說：「別的店裏我全都問過了，也都說是沒有。莫非老李在這大雪的天，又趕路走下去了嗎？好，我非得連夜追上他去不可！」說畢，這個胖子像一個大白羊似地轉身出了店門。

秀蓮趕緊踏着雪追出店門，只見那胖子已在門前解下黑馬來騎上，秀蓮姑娘就招着手說：「喂，喂！你先別走，我要問你！……」那胖子竟像沒有聽見似的，騎上馬放轡往南跑下去了。

秀蓮姑娘眼看着那胖子的黑馬的影子，消失在茫茫的暮色之中，就急得歎氣。趕緊回到店房內，彈了彈身上的雪花，摸了摸碗裏的麵湯還溫着。秀蓮就對燈發着怔想了半天，暗道：「這樣說李慕白是在前走得不遠呀，大概也就是一日的路程！假若我趁着這個雪天趕行一夜，到明天就許能夠追上他了！」這樣一想，便決定即時走下去。她立刻叫過店家，把錢開發了，就提着行李雙刀出屋，到院中把馬牽過，就出了店門。弄得那店家也莫名其妙，就跟在秀蓮後面，說道：「姑娘，你還是歇下吧！明天天晴了再走。現在快到三更天了，路上這麼大的雪，馬也容易滑倒的啊！」秀蓮卻搖頭說：「你不曉得，我那裏有急事，非得連夜走下去不可！」於是她就一橫身，扳鞍上馬，馬踏着地下的冰雪往南走去。因為地下很滑，秀蓮只得策馬慢慢的走。同時看見路上有着深深的馬蹄印跡，曉得是那胖子的馬才由此走過的，就依馬蹄印去走。心裏又想，我沒聽說李慕白有這樣一個朋友，莫非此人是個強盜，他本來認識我，並且知道我的來意，特意把我騙出來，要糾眾在這雪夜之下打劫我麼？轉又心裏傲然地想着：我怕什麼？金槍張玉瑾，我父親在世時都很懼怕他，但依舊被我給趕走；苗振山的飛鏢據說是百發百中，但他也喪身在我的手中，江湖上還有比他們更兇橫的賊人麼？

當下馬蹄踏在冰雪地上，發出喳喳之聲，刀鞘磕碰着鐵鐙叮噹的響。天沉地厚，渾然一片白色。少時秀蓮姑娘的青衣褲也全都落滿了雪，行過了幾個村子，沒看見一家茅舍裏還有燈光，也許因為冷的緣故，連聲狗吠也沒有。那胖子的馬在地下留的殘跡，也被雪厚厚地蓋住，看不出了。秀蓮姑娘也只是茫然的，策着馬一直往前走，這銀色的天地彷彿被她一個人佔據了。秀蓮四下觀望，見什麼東西也沒有，正如她的身世一般。於是又不由背着寒風流下熱淚來，她連擦也不擦，只任憑眼淚在她那凍得紫紅的臉上去結冰。

走下三四十里路，腹中也餓了，兩腳也凍得僵硬，可是雪已住了。又走下幾里，天已發曉，東方射出朦朧的淡紫色的陽光，路上已有抬着行李、挑着擔子的往來行人了。秀蓮姑娘這才下了馬，把自己身上的積雪拍淨了。那匹馬噓着白氣，身上的汗珠滾下，落在雪上就是一個小深坑兒。秀蓮由頭上解下手帕，擦了擦臉，依舊繫好頭髻，便上馬再往前行。走了不遠，就來到一處很熱鬧的市鎮，因為天晴了，所以往來的人很多。在道旁有一個挑着擔子賣茶湯的，秀蓮就下了馬，去買茶湯充飢。

這時陽光漸升，在雪色的屋頂上染上一抹橘色。秀蓮喝過了一碗茶湯，也覺得腹中舒服，身體溫暖了。正要再喝第二碗，忽見街東的一家店房裏，走出一位牽着馬的客人。馬是純黑色的，鞍後只有一隻小小行囊和一把寶劍。客人是個青年，身穿青緞短褲，頭上戴着風帽。秀蓮姑娘看了個半面，便驚訝地喊道：「李大哥！李大哥！」本想要即時追過去，但那賣茶湯的又張着手向她要錢，秀蓮急忙忙地向衣袋裏去掏錢，同時眼睛直直地望着李慕白。只見李慕白似乎聽見有人叫他，向人羣裏投了一眼，也不曉得看見秀蓮了沒有，他就扳鞍上馬，分開道上的行人往南走去了。

這裏俞秀蓮又是驚慌又是憤恨，趕緊向賣茶湯的扔下錢，上馬就追，出了這市鎮。不想李慕白的那匹黑馬走得很快，相離有半里之遙。俞秀蓮心中十分着急，一面催馬去追，一面招着手大聲呼道：「李大哥！李慕白！」但是她雖然叫着，李慕白卻依舊策着馬在這雪後的朝陽大道上款款而行，並不回頭來望。俞秀蓮心中悲痛急躁、忿恨，攙在一處，她的眼淚都流下來了。又想抽出刀先殺死李慕白，然後自刎；又想即時撥回馬去，永遠不認識李慕白，因為她以為李慕白是故意不理自己。其實前面李慕白確實不知道俞秀蓮在後面追着他，他正在馬上回憶着生平所遭遇的種種不幸的事，對着陽光，一面走着一面發呆。這時忽見對面來了三匹馬，騎着的全都像是官差，忽然有一個官差直着眼睛說：「嗳呀！摔下來了！」李慕白這才回頭去看，只見在自己身後兩箭之遠，有一個騎馬的人跌倒在雪地裏。那幾個官人又驚訝着說：「是個女的！」李慕白也看出來了，那由雪地上爬起來的人，身軀靈便，衣服緊瘦，不是個女子是什麼。再細看時，不是俞秀蓮姑娘又是誰！於是李慕白驚詫極了，他也顧不得一切，趕緊撥馬回來，就說：「是俞秀蓮姑娘嗎？」

此時俞秀蓮因為追趕李慕白，以至地下的雪將馬滑倒，把她摔在雪地上。她一面起來，一面氣憤得流淚。等到李慕白回馬來到臨近時，俞姑娘已然把鞍下的雙刀「鏘」的一聲抽了出來。兩道寒光一閃，姑娘就橫刀揚眉，芳容上現出嚴厲憤恨之色，眼裏流着熱淚，顫顫地向李慕白說：「姓李的，你不要再理我！因有我父親臨死時託付過你，叫我們作兄妹一般……」姑娘說到這裏，哭得亂跺着腳，將地下的雪跺成深坑。她一面把馬拉過來，一面仍舊哭着說：「在北京時，你就不理我；現在我追下你來，在後面叫着你李大哥，你卻裝做沒聽見。好，好！原來你卻是這樣的一個人，我永遠不認識你了！」說時收下雙刀，扳鞍上馬，就要往回去走。

李慕白急得心如油煎，淚如雨下，他趕緊催馬搶上前，把秀蓮的馬匹攔住，說道：「姑娘，不是那麼回事，你聽我細說！」秀蓮姑娘見李慕白攔住她的馬，便要由鞍下再抽雙刀，冷笑着說：「怎麼，你還要攔住我跟我動手嗎？我俞秀蓮可不怕你李慕白！」此時旁邊那三個騎馬的官人又過來解勸，連說：「有什麼事好好地說，不必生氣。」又向李慕白說：「老哥，你也不必急成這個樣子，夫妻打架是常事，不過別在路上爭吵，這樣可教人笑話！」他們在裏面一胡攪，令李慕白對姑娘更是有口難辯。此時秀蓮姑娘已催馬往回走去，李慕白又去追姑娘，一面策着馬，一面喊着說：「姑娘，你駐下馬，聽我說幾句話，只有幾句話！」但是秀蓮卻像聽不見似的，氣忿忿地催着馬向岔路走去了。

這裏李慕白勒住了馬，怔了半晌，眼淚不住地流，又怕姑娘再有什麼舛錯。想要把自己心中的委屈，儘可能地向姑娘說一說，但此時秀蓮已不怕馬匹再滑倒，緊緊地揮着鞭子，刀鞘磕得銅鐙亂響，漸漸連馬影都看不見了。此時李慕白目送着一串白雪上的馬跡，心中又發生一種反感，便勒着馬，抹淨了眼淚，就想：「我哪裏曉得她從後面追下我來？她的馬被雪滑倒，卻把氣撒到我的身上，並且不容我向她解釋，她也太性急了！唉！她說從今以後不再認得我，其實那也很好，不過是太屈了我的心！一切事想不到都落成這樣的結果，是我李慕白的命苦呢？還是我的人不好呢？」於是他長長地歎了口氣，就狠心道：「什麼都由她去吧，我且回家去！」就不再去追俞姑娘，撥馬又往南走了。

再說俞姑娘，本來她是誤會李慕白不理她，而且從馬上摔下來之後，又羞又氣，所以忿忿地走開；李慕白追了半天，她也不理。可是往西南行了六七里地，回首看不見李慕白的馬影，她又不禁有點後悔了。暗想，我為什麼冒雪連夜追下他來，不就為的是向他詢問孟思昭的事情嗎？就是對他翻了臉，也得先把話問明白了啊！現在好容易追上了他，自己卻又生氣走開，弄得以後就是再見了面，誰也不能再理誰了。想到李慕白也不是壞人，而且早先幫助自己葬父，並且護送自己和母親到宣化，哪一種情義也不為淺，自己現在的舉動也未免太對不起他。想了想，又很盼望李慕白再趕來，於是在雪地裏駐馬等了一會兒，卻不見李慕白前來。自己當然也不好意思再回馬去追他，轉又微微冷笑，自己想道：「難道我非得求人不行？我非得找着孟思昭就不能活着了嗎？在早先有我父母在世時，遇事都攔住我，要叫我做個安嫻的姑娘；現在我是孤身一人，拋頭露面地也走了不少的路，手下也殺死過人，難道我還有什麼事不能自己去辦嗎？不能憑我這一對雙刀走江湖嗎？」於是，秀蓮姑娘就改變了主意，想要自己先到望都縣榆樹鎮，去祭掃父親的墳墓；然後再回巨鹿家鄉，找着孫正禮等人，籌備好了錢，再出來接父母的靈柩回籍安葬。

秀蓮策馬慢慢往前行走。這時太陽升得很高，地下的積雪漸漸融化了，馬蹄踏在濕泥和殘冰之上更覺得滑；秀蓮恐怕再將自己掀下馬去，就謹慎地行走。又走了四五里地，來到一座小村鎮，秀蓮便找了一家店房，牽馬進去找了一間單屋子歇息。換了鞋，吃過了早飯，因為身體疲倦，就倒在炕上睡去。及至醒來，已到下午三點多鐘了，洗過臉，喝了兩碗茶，精神也恢復過來。不過想起早晨的事，覺得確實是自己太急躁了，不該對李慕白說那樣決裂的話。後來李慕白追趕自己，自己也不該不理他，無論如何，早先人家對於自己總有許多的好處呀！於是不免歎了口氣，站起身來，到店門外要看看路上好走不好走，遂出了屋。

只見院中積雪盡消，地下盡是泥水，各屋裏出入的客人很是雜亂，全注意看着秀蓮；秀蓮姑娘卻很大方持重地走出店門。只見街上雖然有不少往來的行人、車馬，但是地下卻是泥濘難行。又看了看偏西的陽光，知道天色已不早了，就想：索性我在這裏再歇一晚，明天早晨再走吧。於是剛要回身進店，忽見對門的一家店房裏，跑出來三四個青年漢子，全都擠眉弄眼地向着秀蓮。秀蓮知道這幾個一定不是好人，遂就退身進門依舊回到屋內，悶悶地坐着，覺着十分無聊，便抽出雙刀來，放在炕上。秀蓮就盤膝坐在炕上，用一塊手絹擦刀，越擦那兩口鋼刀越亮。同時秀蓮的雙目也不禁瑩然落下淚來，就想起早先父親傳授自己的刀法的時候，那時他老人家的精神是多麼好。誰想到這一載之內，兩位老人竟都故去了呢？由此又想到自己飄泊一身，青春無主，更不禁一陣傷心，眼淚滴滴地落在刀鋒上，越發顯得那兩口刀光瀯晶瑩。

這時，店家忽然進屋來，問秀蓮姑娘吃什麼飯。秀蓮就說：「待一會再說，今天我還住在你們這裏，明天再走呢。」遂又問：「這裏是什麼地方？往望都榆樹鎮去還有多遠？」店家就說：「我們這裏是涿州地面，往望都去有多遠我可不知道，大概總要走五六站吧！」說話時，他帶着驚訝的神色，去看秀蓮手裏正擦着的那兩口亮得怕人的刀。秀蓮見這店家彷彿有點神色可疑，遂就說：「你出去吧，我要吃飯的時候再叫你！」店家連聲答應着：「是，是！」就趕緊轉身出屋，彷彿惟恐秀蓮從後面拿刀砍他似的。

店家出屋之後，秀蓮就坐着發了一會怔，暗歎：一個女子走到外面，確實不如男子方便，因此便很謹慎地把一對雙刀收起。到了晚間，叫店家開了飯，便點上燈，閉了屋門，夜間睡眠也很警醒。到了次日，不獨天已大晴，出門看了看，路上也很好走了。秀蓮回到屋內，一面叫店家給她備馬，一面自己收拾行囊。開發過店錢，就牽馬出門，騎上馬直往正南走去。

此時，朝陽才起，天空飄盪着一團一團的白雲。北風雖然吹得不緊，但是寒意逼人，地下的雪有的還殘留着，有的已化成了水又結上冰。村舍裏的雄雞依舊高唱着，道旁的柳樹只剩枯枝，還掛着絨一般的殘雪。這條路上來往的行人不少，騎馬的、乘車的、荷囊挑擔的，各色的人全都有，沒有一個人不仰着臉去看馬上的俞秀蓮姑娘。秀蓮這時依舊是緊身的青布夾衣褲，髮上罩着青首帕，白弓鞋踏着銅鐙，鐙旁就掛着帶鞘的雙刀。秀蓮騎馬的姿式又極為好看，加以那籠罩着一層風塵之色的嬌豔容顏，行路的人哪個不注意她呢？秀蓮從容大方地策着馬往南行走。

走了三十幾里路，已將走出涿州地面。此時已近午，秀蓮從早晨起並沒吃什麼東西，腹中覺得飢餓。來到一處市鎮上，秀蓮就找了一家小飯舖，在門前下了馬，將馬繫在樁子上；然後就叫飯舖的人把草料筐籮，放在馬前。她進到飯舖內，只見屋中座客雜亂，人語喧譁，爐火中的熱氣和人的蔥蒜氣、煙酒氣彌漫在屋中，使秀蓮不敢去呼吸。尤其是這屋裏坐的多半是些趕車的和本地的土痞、賭徒，除了有一個坐在地下一邊奶着孩子一邊燒火的老闆娘之外，再沒有女人。秀蓮覺得這裏太不好了，於是又一推屋門出去。屋內的人全都直着眼看秀蓮的背影，並且彼此雜亂着談笑。此時小飯舖的掌櫃的跟出來，就說：「大嫂，屋裏太亂，你到東邊店房裏去吧。」秀蓮很不耐煩，因見門外有磚砌的台子，在夏天時，這台子就算是桌子板凳，一般人都在這外邊吃飯，現在因為天氣冷，人才都擠到屋裏。秀蓮就在磚台上坐下，向飯舖掌櫃的說：「你快給我下一碗麵湯，我就在這兒吃吧！」那掌櫃的因見秀蓮的身上還穿着夾衣裳，就說：「大嫂，這兒冷呀！」秀蓮見他連聲叫自己為大嫂，心中更不耐煩，就生着氣說：「你快給我下麵去吧！我不怕冷。」掌櫃的只得進屋去給她下麵。

秀蓮坐在磚台上，望着在泥途中往來的車馬行人。少時麵才端出來。忽見由北邊又來了四匹馬，都在這飯舖門前停住，馬上的四個短衣漢子全都下了馬，彼此笑着說：「這兒倒不錯！」說時同把那賊亮亮的眼睛盯在俞秀蓮的身上。秀蓮也看出來了，這四個人就是昨天自己住的那店房對門住的那幾個人。因為自己在那門前站着，他們曾見過自己，就想：這幾個人莫非是特意追下我來的？因見他們的馬上都捆着個長包裹着，露出刀把來，秀蓮就明白了，知道這幾個都是江湖人，說不定就是苗振山、張玉瑾的一夥，現在是追下自己來，沒懷着好意。遂就暗自冷笑着說：好，好！我倒要看看你們這幾個人有多大的本領？

當下秀蓮就像沒事人兒似的，挑着麵慢慢吃着。此時那四個人往屋裏探了探頭，就彼此說：

「屋裏沒座兒了，人太多！」有一個人就說：「咱們也在外頭吃好不好？」說時又盯了秀蓮一眼，那三個人卻說：「外頭這麼冷，我可受不了。走，到旁處再看看去。」說時一齊去牽馬，竟有一個眼睛有疤瘌的青年漢子，伸手解秀蓮的馬匹。秀蓮就趕緊把筷子一扔，說道：「喂！那是我的馬，你動它幹什麼？」

那個疤瘌眼兒的人，本來解秀蓮的馬就為的是招她說話。如今秀蓮氣忿地說出這句話來，這個人就斜着疤瘌眼兒笑道：「是啊，我瞧錯了，我不知道這匹馬是你小媳子的！」旁邊那三個人也齊都哈哈大笑。他們這一陣笑，把秀蓮弄得滿面通紅，秀蓮氣忿忿地站起身來罵道：「你們這夥無賴，敢拿着我取笑！」說時掄着馬鞭子過去，那疤瘌眼的臉上立刻就是一道青痕。

旁邊一個黑臉漢子生了氣，一手將秀蓮的馬鞭揪住，瞪着眼威嚇道：「你這個潑婦，竟敢動手打我的兄弟嗎？」說着要奔過來抓秀蓮的肩膀。秀蓮兩隻手將鞭子奪過，一隻蓮足踢起，正踹在那黑臉漢子的肚子上。「咕咚」一聲，那黑臉漢子就倒在泥水中，旁邊幾個人嚇得全都「啊」了一聲。秀蓮趕緊由鞍下抽出雙刀，兩道寒光一閃，嚇得那三個人全都拋下馬跑到一邊。那個才由泥水中爬起來的人，看見秀蓮一掄刀，就嚇得又一屁股坐在泥中。

此時飯舖裏出來許多人給解勸，秀蓮姑娘才忿忿地把雙刀收起；然後把麵錢給了，一句話也不說，上馬揮鞭就往南走去。心中怒猶未息，就想：江湖上怎麼淨是這樣的壞人呢？又想：像李慕白那樣規矩而慷慨的人，真是少有呀！因之又覺得自己前天對李慕白那樣的決裂，實在是太不對。

正自想着，忽聽後面又是一陣馬蹄之聲，俞秀蓮趕緊回頭去看，只見是那四個人又都騎着馬追下來了。那個黑臉的滾了一身泥水的人在前，看他們全是十分氣忿的樣子，彷彿要追上秀蓮來拚命似的。秀蓮這時也要抽出雙刀來，迎上他們去，但又想：「這才離了市鎮不遠，倘或與他們爭吵起來，又必要招得許多人前來給解勸，我何必要給旁人作笑話看呢？」心裏這麼一想，突然生了毒計，就想把這幾個人誘遠了，然後再下毒手，就像那天殺死苗振山的辦法一樣。當下就放轡頭，馬便向南飛跑了下去，濺起地下的殘雪和泥水。道旁的人全都趕緊往兩旁讓路。後面的那四匹馬齊都加鞭追趕，口中並且喊着罵着。

秀蓮放馬走出四五里，聽後面那四個人在馬上罵的話很是難聽，心中着實忍耐不住了。又見路旁沒有別的行人，村舍也離此很遠。秀蓮就由鞍下抽出刀來，撥轉馬來，怒聲問道：「你們幾個人追下我來，是要打算怎樣，莫非你們不要命了嗎？」那四個本來全都抽出刀來了，他們來勢很猛。可是忽見秀蓮姑娘橫刀迎上來，他們卻齊都收住馬嚇得直往後退。頂頭的那個滾了一身泥水的漢子，倒彷彿還略有膽量，就問說：「喂，你一個婦人家，拿着雙刀，單身走路，一定不是好人。到底你是幹什麼的？」

秀蓮見問，卻不住地冷笑，說：「這個事你可問不着！我是幹什麼的，也不能告訴你們這一夥江湖小賊。現在沒有旁的說的，你們若是不服氣，就一齊過來，跟我較量較量。先說好了，死傷由命，不准反悔。你們要是惜命，怕我的刀砍上流血，那就趕緊給我滾開；若敢再追我，嘴裏再敢胡罵，我就叫你們一個也活不了！」秀蓮姑娘睜着秀麗的、炯炯有光的眼睛，怒視着那四個人。她在馬上兩手握着刀，態度昂然，彷彿立刻就要厮殺的樣子。那四個人嚇得又把馬匹往後退了退，就彼此直着眼呆呆地望着，誰也不敢上前。

那個疤瘌眼人看出秀蓮姑娘一定不是好惹的，不然她一個女人，哪敢說這樣的大話呢？遂就向那三個夥計說了幾句江湖的暗話，意為這個女的一定大有來歷，咱們別去碰釘子。他遂就上前向秀蓮拱了拱手，說聲：「這位嫂子，你的話我聽明白了。你是有本事的，不把我們哥兒四個放在眼裏；這時我們也不必跟你惹氣。從此往東二三里地有一處劉家村，那裏的劉七爺是好武藝，在江湖上有大名氣；你敢跟我們見他去嗎？」秀蓮一聽，這幾個人又抬出一個什麼劉七爺來，想着大概是本地的一個大土痞，遂就冷笑着說：「無論是什麼人，你們就叫他來吧！我可以在這兒等他一會兒。要叫我去拜訪他，這我可不幹。」

四個人一聽便要撥馬走開，去找那個劉七爺去。但俞秀蓮跟這四個人搗了半天麻煩，心中氣憤不出，就想：假若他們藉此逃走再不來了，累得自己在此傻等，豈不就是上了他們的當了嗎？因此便催馬奔過去，說：「你們要全走可不行，多少得留下點兒什麼押賬。」說時在馬上掄雙刀向那疤瘌眼兒就砍。疤瘌眼兒手中的鋼刀招架不住，馬往後一退，身子往旁一歪，整個就掉下馬來，屁股上挨了一刀。那三個人齊都跳下馬來，掄刀去戰秀蓮。秀蓮姑娘也下了坐騎，雙刀飛舞，逼得那三個哪敢上手？就一齊搶上馬去，向回跑去了。

秀蓮也不去追他們，就看了看趴在泥水地裏、受傷的那個疤瘌眼的人。憑着氣頭上，本想再過去砍他兩刀；但又轉想，何必呢，平日又沒有什麼仇恨，要他的命作什麼？遂就扳鐙上馬，向地下趴的這個人說：「我走了；他們要是來了，你就叫他們往南追趕我去，反正我不怕他們……」地下趴着的那個人，一邊呻吟着，一邊答應。秀蓮在馬上才將雙刀插入鞘中，揮着皮鞭，馬蹄「嘚嘚」的，便迎着正午的陽光往南走去。

這裏，那個屁股受了刀傷的人，趴在泥地上不住地呻吟，由他那疤瘌眼裏往下掉眼淚。旁邊的行路的人過來把他揪起，在道旁一個土坡旁殘雪裏臥着，他那匹馬本來已經驚走了，又被人截了回來。這時他那三個夥伴就把那位劉七爺給請來了。這個劉七爺身後帶着五六個人，全都帶着兵刃，他一個人騎馬在前，後面跟着三匹馬，其餘的人，全都在馬屁股後跟着跑。來到近前，先問：「那個使雙刀的婦人，往哪邊跑去了？」受傷的疤瘌眼說：「往南走去了。她說自管追她去，她不怕咱們！」說着就捂着屁股的傷處，不住呻吟說：「噯喲！噯喲！」

那劉七爺的一張棗紅臉上漲起了紫色，把兩隻帶稜兒的眼睛一瞪，說：「好啊，真太欺負咱們啦！」遂就叫人把受傷的抬回他莊子去，他就帶着三匹馬，四五個人往南追趕下去，把地下的冰雪和泥水濺起多高。路上的人差不多全都認得這是涿州有名兒的劉七太歲，現在把他氣得這個樣子，那招惹了他的人還能想活命嗎？可是這時秀蓮姑娘策馬正在前面款款而行，並沒把剛才砍傷了人，惹了什麼劉七爺的事放在心上。

往南走了不到四里地，就聽身後又是一陣馬蹄亂響，秀蓮驀然驚覺，心說：「趕下我來了！」遂就趕緊撥轉馬頭，就見一個紫紅臉的、高身軀的老漢，合共是四匹馬，追趕前來。秀蓮姑娘一點沒有驚惶之意，就將馬鞭插在鞍下，飛身下馬，很從容地將馬帶到道旁，然後才抽出雙刀來。這時那四匹馬才趕到，秀蓮迎上幾步，用眼瞪着他們，厲聲說：「都給我滾下馬來！」那劉七等人齊都把馬勒住。劉七此時倒驚訝了，他在馬上仔細打量秀蓮，就問說：「你是幹什麼的？姓什麼？」秀蓮冷笑道：「你不用問我！你下馬來跟我較量較量就是了。」

劉七一見秀蓮這樣從容鎮定，就知必是久走江湖的，而且見秀蓮雖然身段窈窕，像是個小姑娘一般；但是手中那兩口頗有分量的鋼刀，以及她橫刀挺身而立的姿式，劉七也有眼力，就知是練過功夫的人。但是究竟覺得女子易欺，遂就「嘿嘿」的一陣笑，說：「我劉七爺闖了二十多年的江湖，也碰見過不少英雄好漢，近幾年我懶着不願再在江湖上與晚輩們去爭名，所以也不願為一點小事同人惹事。想不到如今你這麼一個黃毛丫頭，就在我面前來逞能，還傷了我的兄弟。我要是跟你動起手來吧，顯見我劉七爺是太量窄了，本來就是好男不跟女鬥，何況你這個黃毛丫頭。若說不管教管教你吧，我又太不像江湖長輩了。來，你先告訴我，你的雙刀是跟什麼人學來的！」

秀蓮聽這人說話是這樣誇大，這麼絮煩，她心裏哪能再耐，便說：「你何必要問這些話？你既然追下我來，你們要想動手就一齊過來吧！」說時，她掄着雙刀，撲奔過去，跳起腳來，向那劉七的馬上就砍。劉七趕緊勒馬後退了幾步，氣得他紫紅的臉色越發難看，他就大罵說：「好個丫頭！劉七爺跟你說好話，你卻不懂！」遂令手下人都躲開說：「交我一個人鬥這丫頭！」於是他由鞍下抽出鋼刀，跳下馬來，向俞秀蓮就砍。

秀蓮先要試試這劉七的氣力大小，便先用左手的刀照着劉七的刀，用力磕去。當時「鏘」的一聲，秀蓮覺得左腕有點發麻，劉七也彷彿震得手疼，兩人全都向旁邊跳開。此時秀蓮知道這個劉七的力氣不小，不得不在刀法上使出些花樣來贏他。於是只用右手的刀去迎戰，左手的刀卻專找他的隙處，去砍他的下身。劉七卻冷笑着道：「好毒的刀法呀！」他把一口鋼刀掄起來，白光上下飛躍，又兼這劉七的身手敏捷，竟叫秀蓮一點也尋不出破綻來。秀蓮曉得這劉七的武藝很可以，於是刀法更加謹慎。交手了三十餘回合，秀蓮一點也不示弱，因此真叫對方的劉七覺得驚異，就說：「好個丫頭，真有幾手兒呀！」

旁邊那三個人也齊都抽出刀來，要幫助劉七與秀蓮厮殺。他們還沒上手，就見劉七的刀法佔了上風，逼得秀蓮直往後退。這邊的三個人齊都拍着手哈哈大笑道：「好好，這回七爺非贏她不可！」可是這幾個人的笑聲尚未停止，就忽見秀蓮姑娘的雙刀翻飛，身軀前進，又逼住了那劉七。劉七此時卻不住地喘氣，把刀狠狠地向下剁，身子往前衝去，原想趁着猛勢把秀蓮砍倒，但不想秀蓮此時的刀法更猛，左手的刀擋住劉七的兵刃，右手的刀向劉七的腰際砍去。那劉七往起一跳，沒有跳起來，左大腿上就挨了一刀，疼得他立刻就喊叫了一聲，把刀也撒手了，兩手按住左大腿，疼得他紫紅的臉變得煞煞的白。旁邊那三個人見他們的七爺受了傷，就一齊奔上來要與秀蓮拚命。秀蓮一點也不畏懼，把雙刀掄起來敵住那三個人，戰了十幾回合，秀蓮就又用刀砍了一個。

此時那個劉七太歲，左邊大腿疼得他立足不住，就坐在地下的污泥中，頭上的汗珠像黃豆般大，不住地往下流。他扯開了嗓子大喊道：「他媽的！我都受傷了，你們還打什麼？還不快住手！」此時正在與秀蓮殺砍的那兩個人，聽了他們七爺的喊聲，就趕緊住了手。劉七就叫人把他攙起來，他的大腿直往下流血，沾了一身的泥水，兩隻手也沾滿了血污和泥水。他就瞪着兩隻急躁兇狠的眼睛，向秀蓮說：「算你有本領，我現在認輸了；可是你得把姓名留下。」

這時秀蓮得了全勝，心中十分痛快，就把兩口刀在一手裏提着，微微冷笑，說：「你要問我的姓名呀……」秀蓮本想不把真實姓名告訴他，但又想：現在自己是孤身一人，在江湖間可以任意闖蕩，還有什麼顧忌的？遂就說：「我叫俞秀蓮。這一對雙刀，哼！提起來你可別害怕，是跟我父親鐵翅雕俞老太爺學來的！」說畢，她嬌軀一轉，便將馬牽過，一聳身騎上了馬，然後纖足按鐙，雙刀入鞘，由鞍下抽出皮鞭。姑娘就一面撥轉馬頭，一面望着那被兩個人攙扶的劉七，她帶着輕藐的微笑，遂就揮着鞭，在這雪後的大道之上，迎着陽光又向正南飛馳而去。

俞秀蓮策馬行了一天的路，晚間就在定興縣境內找了店房住下。大雪之後，風靜天寒，秀蓮就在屋內，叫店家升了一盆炭，坐在炕上慢慢地撥着盆內的炭灰，心中卻想着今天的事頗是痛快！那個什麼劉七爺，大概是那個地方的惡霸。看他的刀法純熟，足見他也是個江湖有名的人。他受傷之後又問了自己的姓名，可見他以後還想尋找自己報仇。遂就用鐵筷子在炭盆裏畫着道兒，暗記着說：張玉瑾和何三虎兄妹倒是我的舊仇家，苗振山和今天這個劉七是我的新仇家，以後自己多加提防才是。

想了一會，不由微微歎息，覺得現在外面有父母的兩口靈；有孟思昭下落不明的事；更有李慕白之誤會未解；德嘯峯夫婦的恩情未報；再加上這些仇人，多少多少的事情啊！就憑自己一個女流之身，雙刀匹馬，又沒有一個人幫助，真是難辦呀！因此她彷彿心中銳氣全失，反對前途發生了許多憂慮。

第二十九回　墮淚傷心驚言聞旅夜　刀光鬢影惡鬥起侵晨

這時，各房中都有人在高聲談笑，大半都是些做生意的人。秀蓮又覺得自己是個女子，所以特別艱難，假若自己是個男人，真不能叫他李慕白稱雄一世！想到這裏，忽然房門一開，進來一個店家，秀蓮就問說：「什麼事？」那店家就說：「你是俞大姑娘嗎？」秀蓮點頭說：「不錯，我姓俞。」說時就由炕上下來，用詫異的眼光望着店家，店家說：「外頭有一位姓史的客官要見你。」

秀蓮一聽，十分納悶，心說：我並不認識什麼姓史的呀？剛要出屋去看看，原來那姓史的正在窗外站着。他知道屋裏確實是俞姑娘了，就一邁腿進到屋內，說：「俞姑娘，今天可氣着了吧？」他說話是帶着山西的口音，肥短的身子，很費力地彎下去，給秀蓮打了躬。秀蓮這時詫異極了，及至這姓史的揚起他那圓圓的胖臉來，秀蓮才認出，這人就是自己前天在風雪道上遇見的那個反穿皮襖騎着黑馬的人。因見這人很有禮貌，遂就和藹地說：「嘔！……你請坐，有什麼事你就跟我說吧！」那史胖子也不坐下，他只吁吁地喘氣，彷彿是從很遠趕來似的，此時店家把牆上的燈挑亮了，就出屋提水去了。

秀蓮見史胖子身上只穿着青布夾褲和短棉襖，頭上卻流着汗，因見他半晌不語，未免心裏起急，就瞪了他一眼，說：「你找了我來到底是有什麼事呀？」又要問他那夜下着雪在店房裏去打聽李慕白的是不是你。就見史胖子用袖擦着臉上的汗，說道：「我要想告訴姑娘的事可多極了，只是李慕白那傢伙，他不叫我來告訴你！」秀蓮一聽，立刻驚得變色，眼睛也立刻瞪起來，問說：「什麼事？李慕白他要瞞着我！」史胖子卻擺手說：「俞姑娘你先別着急，聽我慢慢跟你說。」於是史胖子就先說他自己的來歷。然後又說他與李慕白相交的經過，以及他對李慕白怎樣幫忙。因為替李慕白殺了胖盧三和徐侍郎，他才在北京不能立足，拋下了小酒舖，重走到江湖來。

俞秀蓮一聽說，這個爬山蛇史健也是江湖上有名的人物，自然更是不勝驚異。不過他說了這許多話，都與自己無關。正要叫他簡潔着往下說，這時史胖子就提到了小俞，並且說：「小俞就是宣化府孟老鏢頭的次子，姑娘的女婿孟思昭！」然後就說孟思昭由北京走出，到高陽地面迎着苗振山、張玉瑾等人，因為爭鬥受了重傷，史胖子他跑回北京把李慕白找了去，孟思昭就在李慕白的眼前死了，現在葬埋在高陽郊外。史胖子述說這些事情之時，真是宛轉詳細。尤其他說到孟思昭臨死之時，囑咐李慕白應娶秀蓮為妻之事，他是一點也不管姑娘聽了心裏是好受不好受，他都毫無隱瞞地說出來了。

此時，秀蓮姑娘方才如夢初醒，才知道孟思昭是為什麼離京遠去，才知道李慕白是為什麼處處躲避着自己，才知道德嘯峯是為什麼對自己那樣的諸事隱瞞，事情到現在雖然全明白了。但是秀蓮的心境卻如陷在絕望的深淵裏，心裏覺得慘傷、痛楚，眼睛被淚給湧滿，覺得昏暈、煩亂。坐在炕上，怔了半天，方才伸手擦了擦眼淚，微微慘笑着說：「原是這麼一回事情呀！孟思昭、李慕白他們倒都不愧是有義氣的人，德五爺也真是他們的好朋友，總歸就是欺騙我一個人呀？咳！到底是女子好欺騙！……我，我全都佩服他們就是了！」說到這裏，秀蓮不禁掩面痛哭，越哭聲音越是悽慘，哭得店中的客人全都止住了談笑，都到院子來打聽。店家也藉着送茶為名，進屋來看，就見燈光之下，這位姑娘用一塊手絹掩着臉，哭得氣都要接不上；站在炕旁的那個胖子，直着眼，皺着眉，急得成了傻子樣。店家也不敢問，也站着怔了一會，就問史胖子說：「你那匹馬怎麼樣？」史胖子這才知道店家也進屋裏來了，遂就說：「把馬給我卸了鞍，餵起來罷！另外給我找一間房子。」店家答應一聲，放下了茶壺，就出屋去了。

這裏史胖子心中好生後悔，覺得剛才那些話說得太莽撞了，現在姑娘成了這個樣子，史胖子也不曉得用什麼話去勸她才好。秀蓮姑娘哭了半天，自己忽然想着哭也無益，遂就止住眼淚。便站起身來，一面仍自抽搐着，一面向史胖子說：「多謝你的好意，把這些事情告訴我，要不然我就是死了也不知道！」史胖子見姑娘向他道謝，未免又是受寵若驚，咧着他的大嘴笑了笑，趕緊又作揖，說：「姑娘這是哪裏的話？這些事我史胖子也是後來才知道的。在涿州我遇見小俞時，我要知道他就是孟思昭，是姑娘你的女婿，我一定要攔住他，不能叫他替李慕白跟人拚命去！」

秀蓮點了點頭，又不禁流淚歎息。

史胖子又彷彿有點怨恨李慕白，他說：「我們把孟二爺葬埋了之後，李慕白就回北京去了，他並且不叫我跟他去，也許就是怕我見着姑娘，把這些事告訴你。可是我這個人向來對朋友熱心，恐怕李慕白到北京之後，見着苗振山等人，他人孤勢弱，抵不過那夥人，所以我到底帶着我的一個夥計跟下去了。到北京，我也沒進城，可是苗振山被姑娘殺死，張玉瑾那夥人叫衙門趕走的事，我全都知道。李慕白是前一天到的北京，第二天下着大雪他就走了。我就打算去見姑娘，把這些事告訴你，可是我是個犯過案子的人，不敢進城去給人家德府惹事，所以我就打算託人把姑娘請出城來再說，可是我託的人還沒有去，姑娘你就騎馬冒雪離了北京。看那樣子，我猜出你是要追上李慕白。我知道李慕白是前一天走的，至多他比你走下幾十里路，所以那天我找着姑娘住的店房，我就去嚷嚷，為是叫姑娘你連夜趕下去。若是追上李慕白，那要是俞二爺的陰魂有知，他也是喜歡的嘛！」

秀蓮姑娘聽史胖子說到這句話，她又是傷心，又是不禁臉紅，剛要發言解釋，又聽史胖子往下說道：「憑良心說，李慕白那個人，雖說性情有點別扭，可實在是個好人！而且他那身武藝，在江湖間真找不出對兒來。孟二爺既然死了，姑娘你嫁給李慕白，也真不算辱沒你。說句實話，我史胖子替李慕白出這麼大的力，也就是為他老哥娶上個好媳婦兒……」說到這裏，秀蓮就正色把他攔住，說：「你不要說了！」

史胖子點頭說：「是，是，我先不說這些話。我再告訴姑娘，那天夜裏，我本想跟上姑娘，看姑娘與李慕白見面。不料我的馬被雪滑倒，我的腰摔了一下還不要緊，馬也摔瘸了，因此我才落在後頭。不知姑娘到底追上李慕白沒有？我走到今天過午，才到了涿州劉家莊，去訪我的好友劉七爺。不料他卻受傷了。我一問他，才知道他是因為得罪了姑娘，被姑娘砍了一刀。我當時也沒同劉七說什麼，我就趕緊追下姑娘來，為是把這些話告訴姑娘！」秀蓮這時心中亂極了，便點頭說：「好，好！我都聽明白了。謝謝你的好意，你請吧！」

那史胖子一聽，連聲答應，又開口說別的話。卻見秀蓮姑娘的眼邊依然掛着淚珠，臉上帶出不耐煩的樣子。史胖子曉得姑娘這時的心裏是煩極了，他就不敢再多說話。遂就怔了一怔，說：「姑娘先歇着吧，我今夜也住在這店裏，有什麼話明天再說。有用我之處，請姑娘自管吩咐，我史胖子一定豁出命去幫助姑娘！」秀蓮對於史胖子倒是很感激的，就點頭說：「好，好！以後我一定求你幫助！」史胖子卻仰着圓圓的胖臉，又向俞姑娘一哈腰，他就到旁的屋裏歇宿去了。

史胖子出屋以後，這裏俞秀蓮姑娘又狠狠地一跺腳，咳了一聲，眼淚立刻又汪然而下。就想：我的命也太苦了！風塵千里來尋找未婚夫孟思昭，想不到孟思昭卻又被苗振山鏢傷身死，雖然自己殺死了苗振山，算是給他報了仇恨；可是他已然是人死不能復生。茫茫的人世，可叫自己怎麼往下活呀！由此又想到李慕白，想他此時一定也是很傷心的，並且不願把這些事告訴我，假若沒有孟思昭這事，或者孟思昭是個壞人，我也可以改嫁給李慕白。然而，然而……

她想到自己與李慕白、孟思昭三人之間的這段孽緣，真彷彿有鬼神在其中顛倒着似的。她一時覺得灰心，恨不得要橫刀自盡。可是當她的纖手摸到了那雙寶刀之時，她的心又一轉念，驀想：父親養我的時候，就是當男兒一般的看待，後來我在江湖上也折服了不少兇橫強蠻的男子，難道此後我俞秀蓮，竟離了男人就不能自己活着了嗎？當下一橫心把眼淚擦了擦，再也不哭了，遂就關上門熄燈睡去。

旅夜淒涼，俞秀蓮心中有這樣痛楚之事，哪能夠安然入夢？但是秀蓮卻極力橫着心，打算今後決不再作女兒之態，什麼死去的孟思昭、走了的李慕白，一概不管他。以後只要憑着一對雙刀，闖蕩風塵，給故去的父親爭爭名氣。一夜之內，她把一腔淒涼的心情磨得像刀刃一般的堅強鋒利。

到了次日，天未明她就起來，很暴躁地喊着店家，說是：「快給我備馬！」這時史胖子也爬起炕來，聽見俞秀蓮在屋裏呼喊，他也趕緊跑過來，先隔着窗子問道：「姑娘起來了嗎？」俞秀蓮在屋裏說：「你是史大哥嗎？你進來！」史胖子遂到屋內，只見屋裏依然黑洞洞的，秀蓮姑娘不單衣服穿得齊整利便，連她隨身行李都包紮好了。史胖子就問：「怎麼？姑娘你現在就走吧？」秀蓮姑娘說話的聲音都似與昨日大不相同了，她決然地說：「現在我就要走。史大哥，多虧你把那些事告訴了我，要不然我直到現在還糊塗着了。李慕白雖是我的恩兄，而且他的武藝我也很佩服，可是現在既有了此事，我也不願再與他見面了！你們不必再給胡作什麼主張了！」

史胖子一聽，嚇得他一縮脖子，心說：這姑娘的性情怎麼比李慕白還別扭！既然這樣，我們也就不必再給他們撮合好事了，由着他們去吧！別再惹惱了姑娘，抽出她那殺苗振山、砍劉七的雙刀來，我史胖子可惹不起她！於是就連連陪笑，說：「是，是！姑娘的事我們不能給胡出主意，可是……」說到這裏，史胖子更是恭敬謹慎地說：「我想要知道知道，姑娘離開這裏，是打算往哪裏去呢？」秀蓮說：「我先到望都縣榆樹鎮，看看我父親的墳墓，以便將靈柩運回巨鹿，然後再託人到宣化去接我母親的靈！」史胖子點了點頭，說聲：「是！」又說：「可是高陽縣孟二爺的墳上，姑娘就不想看看去了嗎？」

秀蓮一聽，在她那極力堅忍、不乞憐、不徒自哀痛的心上，又不禁彈動了一下，眼淚又要湧出，但是她咬着牙，說：「我也去一趟。不過將來要通知孟家再起他的靈，因為我雖是由父母做主許配了他，但我並沒見過他一面。以後我不再嫁人就是了！但我仍然是俞家的女兒，並不是孟家的寡婦！」說到這裏，真真難以矜飾了。若不是因為屋中還昏暗，史胖子一定可以看得見，秀蓮的臉上是又流下淚來了。

當下史胖子也歎了口氣，明知道俞姑娘是決不嫁人了，李慕白的相思病也是治不好了。他見姑娘這個脾氣，他也不敢多說話，怔了一會，就說：「可是有一樣，現在金槍張玉瑾可還沒走遠，我聽說他住在保定府黑虎陶宏家裏；黃驥北也時常打發人去跟他們商量事兒，也不知道他們現在正安排着什麼手段。不過姑娘你要是往望都去，一定得路過保定，那他們就非要跟你為難不可！」俞秀蓮一聽張玉瑾等人現在還在保定，她又勾起來舊日的仇恨，就說：「他們現在保定，那很好，我一定得找他們鬥一鬥去。他是我家的仇人，若沒有他逼迫着我父親，我們不至落到這個地步。」想到她的父親，又不禁心中一陣感傷。

史胖子就說：「張玉瑾的本領還沒有什麼大不了的，只是那個黑虎陶宏，這人是深州金刀馮茂的徒弟，會使一對雙刀，聽說武藝不在他師父以下。現在他在保定城西，他自己的莊子裏開着兩家鏢店，手下有幾十名鏢頭莊丁和打手。姑娘你若是路過保定，可真不能不留神！」俞秀蓮聽了，依然不住的冷笑，就向史胖子說：「謝謝你的好意。你說的這些事，我都記住了。你去吧！咱們後會有期！」史胖子明知秀蓮姑娘藝高心傲，要是叫她設法繞路不走保定，以免與張玉瑾、黑虎陶宏等人再起爭鬥，那是絕不行的。當下也只得拱了拱手說道：「那麼姑娘多加珍重，再會吧！」說畢，他搖晃着肥胖的身軀，又回到他自己住的屋內去了。

這裏俞秀蓮便付了店賬，牽馬出門。走到門外，才見東方吐出了陽光；但曉寒刺骨，殘雪未消。秀蓮便上了馬，加緊快行，一來因此可以免去身上的寒冷；二來要當日趕到保定，去重會金槍張玉瑾。只要能將他殺死，就算冤仇已報。然後即往望都，啟運先父靈柩送回原籍。同時想到孟思昭，他現在埋骨高陽，自己也要順便去到他的墳上看一看，雖然他與自己生平未會一面，未交一談，但是無論如何他是自己的丈夫。自己現在這樣風塵漂泊，也完全為的是他呀！這樣想着，不禁眼淚又汪然落下，但是她只顧策馬疾馳，連拭淚的工夫都沒有。

此時寒風愈緊，吹得地下的殘雪飛揚起。直走到天色近午的時候，秀蓮方勒住馬，慢慢走到面前一座小鎮市上。找了店舖用過了午飯，歇息了一會，便依舊策馬順着南下的大道前行。北風在背後猛烈地吹着，吹得秀蓮頭上包着的手帕也掉落了兩次，秀蓮全都跳下馬去追着揀回。此時把秀蓮吹得頭髮散亂，頭上、身上，全都是沙土和雪花，秀蓮心中真是氣憤極了。又加路上走着的人，沒有一個不注意看她的。秀蓮滿懷着幽怨和憤怒，恨不得這時找一兩個仇人，揮刀殺死，方才甘心。當下她依舊上馬急急前行，在下午五時許就到了保定，遂在北關內找了店房歇下。

這時因為是冬天，所以才到下午五時天色就黑了，秀蓮一進屋，就叫店家把燈點上，然後催着店家快點打洗臉水來。

本來俞秀蓮一個孤身的女客就非常惹人注意，何況她又是騎着馬，穿着短衣褲，帶着一對雙刀。當她初進店裏時，因為她鬢髮蓬亂，渾身的塵土，若不看見她下面的一雙纖足和那雙泥污不堪的弓鞋，簡直叫人當是一個男子，看不出是女子來。可是等到秀蓮姑娘撣去了身上的塵土，洗淨了臉，攏了攏頭髮之後，店家才看出這位客人不但是個年輕的姑娘，而且是品貌清秀。店家連正眼看也不敢看，就問說：「姑娘吃過飯了嗎？」秀蓮把炕上放着的刀往旁推了推，就盤腿坐在炕上，叫店家去煮麵。店家一面退身出屋，一面用眼看秀蓮身旁放着的那帶鞘的雙刀，臉上帶着驚訝的神色，彷彿猜不透這位姑娘是個怎樣的人。

秀蓮在炕上脫下弓鞋，歇了一會，炕也漸漸熱了，秀蓮身上也覺得鬆緩了一點。想起這幾日的憂煩、急氣和馬上的勞頓，真夠辛苦的！然而現在做到了什麼！前途不是依舊的渺茫嗎？想到這裏，心中又是一陣悲痛。此時忽然屋門一開，店家又進來了。在這店家的身後，還有一個人跟着進來。這人身穿着灰布棉袍，套着醬紫色的棉坎肩。店家就說：「這是我們這裏的張鄉約。」秀蓮翻着眼睛看看這個人，就面上帶出不悅的樣子說道：「你既是鄉約，為什麼到店裏來胡串？我又沒請你！」那張鄉約垂着兩撇小鬍子，彷彿做出些官派來，大模大樣地說：「因為我聽說你帶着刀，我才來問問你，到底你是從哪兒來？往哪兒去？你的當家的是幹什麼的？」秀蓮姑娘一聽此人問得這麼不講理，她立刻暴躁起來，怒聲罵道：「這些話你問不着我！快給我滾出去！」張鄉約一聽，立刻急了，說：「喂，喂！你一個婦道人家，怎麼開口就罵人呢！」說時他瞪着眼，彷彿要把俞秀蓮揪下炕來似的。

秀蓮也滿面怒色，立刻穿鞋下來，要去打這個張鄉約。口中並罵道：「你不過是一個鄉約，又不是知府知縣，就敢這麼欺負人。你是仗着什麼勢力呀？」說時由行李旁抄起馬鞭子來，就要打那人。店家卻不願鬧出事來，他就趕緊從中勸解，不住向秀蓮姑娘作揖，說：「姑娘先別生氣，你聽我說，這是我們這裏的規矩。凡是有往來客人，或是保鏢的，或是護院的，只要身邊帶着兵刀，就得由鄉約記下名字來！」

秀蓮把眼睛一瞪，冷笑說：「我還沒聽說，保定府敢情還有這麼一個規矩！」店家陪笑說：「這規矩也是新立的，因為城西廣太鏢局的陶大爺怕有江湖人在這裏鬧事，所以才託張鄉約給辦。沒有什麼的，姑娘只把姓名說出來就得了。」身後那個張鄉約見姑娘的脾氣太烈，要拿馬鞭子打他，他也不知道這位姑娘有多大本事，因此態度反倒軟了，就說：「我也是受陶大爺之託，你要是有氣，何妨跟陶大爺撒去！」

秀蓮一聽他們都提到那陶大爺，她更是氣憤，就罵着說：「什麼叫陶大爺？是那黑虎陶宏不是？我現在到保定來，就為的是要找他鬥鬥。你們自管把他叫來吧，現在先給我滾開！」秀蓮一手拿着皮鞭，一手叉着腰。說完了這些話，氣得她真真難受，就想：黑虎陶宏不過是江湖上一個無名小輩，他在保定就可以如此橫行，居然連本地的鄉約都要受他的指使，可見他平日一定是個惡霸。如今若再勾結上金槍張玉瑾那夥人，他一定更覺得沒有人敢惹他們了。這時那個張鄉約就咳了一聲，說：「我才倒霉呢！無故惹了這場氣。一個女的，我也不好跟她深分怎麼樣了。得啦，她既連陶大爺全都罵下了，我也就只好告訴陶大爺去了！」

他一面嘴裏嘟噥着，一面走出屋去，店家也跟着出去。待了一會，又給秀蓮姑娘送進麵飯來，他就說：「姑娘，剛才你胡亂說一個名字就得啦！幹麼招惹他們呀？」說到這裏他壓下聲音，一面害着怕，一面向秀蓮姑娘說：「這個張二混子本來就是我們這條街上的土痞。現在他作了鄉約，又巴結上了黑虎陶宏，更是了不得啦！就拿我們這座店說，每天就得給他一弔錢，要不然這買賣就不能好好地開！」秀蓮氣得拿鞭子敲着桌子說：「他們這不是惡霸嗎？」那店家說：「誰說不是呢！姑娘可小點聲兒說話，他們的耳目多，要叫他們的人聽見了，姑娘你就不用打算離開這裏！」秀蓮氣忿忿地說：「這是為什麼，黑虎陶宏有什麼可怕的地方？」

店家悄聲說：「姑娘原來不知道。黑虎陶宏是我們這裏的一位財主少爺，他跟深州的金刀馮茂學過武藝，一對雙刀耍得好極了；紫禁城裏的張大總管，那又是陶宏的乾爹，所以人家在官面兒上也很有勢力。現在保定城的大買賣多半是他家開的，家裏還掛着廣太鏢局的牌子，雇着幾十個鏢頭。其實人家也不靠着保鏢吃飯，不過人家仗着這個交朋友罷了。」他又說：「其實陶大爺還不怎樣欺負人，就是他手下的那些人太難惹，簡直是無所不為。上月，陶大爺請來了河南的一些鏢頭，叫什麼苗振山，還有什麼金槍張玉瑾，一大幫人，在這裏鬧了好幾天才往北京去，可是到了北京就碰了個大釘子。苗振山叫人家砍死啦，張玉瑾大概也栽了個跟頭。棺材從這裏路過，陶大爺還在街上祭了祭。現在聽說苗振山的棺材倒是運走啦，可是金槍張玉瑾還在這兒。」這店家說了半天，又去瞧俞姑娘的神色。秀蓮不住冷笑說：「我可不怕他們，我告訴你吧！我就是為要鬥鬥他們，才到這裏來！」說時一拂手說：「你出去吧！」那店家又看了俞姑娘一眼，也就出屋去了。

這裏俞秀蓮坐在炕上，對着燈，生了半天氣。就想：聽這店家對於苗振山、張玉瑾的事，都知道的很詳細，可見那些人在這裏必是大鬧過些日。因此又不禁暗笑李慕白，想他自南宮到北京來，未及一載，便打服了許多有名的好漢，結交了不少慷慨仗義的朋友，真可算是現在江湖上最有名聲的一個人物了；可是此次黃驥北邀來苗振山、張玉瑾與他決鬥，他因未在京都，所以很招了些人對他恥笑。倒是自己，第一把苗振山殺死，第二把張玉瑾戰敗，算起來倒是替他把仇人剪除了。想到這裏，自己覺得十分驕傲，覺得自己的武藝比李慕白還要高強。可是繼而一想，李慕白曾在巨鹿與自己比過武藝，在半路也幫助過父親和自己戰敗女魔王何劍娥等人，他那劍法的精奇，身手的敏捷，直到現在，自己偶一想起還是如在目前，實在說，他的武藝確實比自己要強一籌。苗振山與張玉瑾若是遇到他的手裏非敗不可。此次他所以未與苗、張二人較量，實在是因孟思昭在高陽負傷，李慕白急於去看孟思昭，所以無心再與他人爭強鬥勝了。如此一想，心中又是一陣悽惻，同時對於李慕白避免與自己相見的事，也有一點諒解；並且覺得那天自己因為跌在雪地裏，就向李慕白發起氣來，以致決裂，絲毫不念當初的情義，實在是太不對了。

正在想着，這時就聽院中起了一陣雜亂沉重的腳步聲。俞秀蓮立刻摒除思慮，振起精神，注意向外去看。這時就見窗紙上的燈也一晃一晃的，有幾個人在院中高喊着說：「在哪間屋裏？在哪間屋裏？」又聽是剛才那張鄉約的聲音說：「就在靠東頭兒那間屋子。」俞秀蓮知道是那張鄉約把人勾來了，她立刻由鞘中抽出雙刀，把門一推，挺身而出。只見院中來了五六個人，打着兩隻燈籠。秀蓮把雙刀一橫，厲聲問道：「你們是找我來的嗎？哪個是黑虎陶宏？哪個是張玉瑾？快滾過來，旁人千萬別上來找死！」雖然俞秀蓮的語氣很嚴厲，但她的聲音畢竟是柔細的。當時對面就有兩個人笑着說：「喲，我的小妹子，你還真夠厲害的！」

秀蓮不等他們再往下胡說，立刻奔過去，向那兩人揮刀就砍。對方手中也都提着刀子，只聽

「鏗鏘」兩聲，對方的兩個人各持鋼刀把俞秀蓮的雙刀架住。那張鄉約卻嚇得「曖喲」一聲，暈倒在地下，有那打燈籠的人把他拉在一邊。這時俞秀蓮抽回刀來，又向那兩人去砍，兩人一面用刀相迎，一面喝道：「你先住手，把名字說出來！」

秀蓮哪裏理他們，只把手中的一對雙刀，左削右掚上下翻騰，矯軀隨着刀勢去進。那兩個人雖然也都會幾手武藝，可是抵擋不到五六回合，那兩人就手忙腳亂，心昏眼花，趕緊轉身往店門外去跑。其中有一個人並且催着說：「快走，快走！」秀蓮還沒十分追趕，鋼刀就砍在一個人的肩膀上。那人像殺豬似的叫一聲，把燈籠撒手扔在地下，他跑出了店門，就栽倒在地爬不起來了，後來才被旁的人給攙走了。

這裏秀蓮用刀將這幾個人驅走，心中才暢快了許多。一面冷笑着，一面提刀回到屋裏，心說：這一定是黑虎陶宏手下的人！他們這一跑回去，一定把陶宏和張玉瑾找來，我就在這裏等着他們吧！看他們怎麼樣？這時那店家又驚驚慌慌的進來，俞秀蓮就說：「你們放心！我惹出事來我自己擋，絕不能叫你們開店的跟着受累。」

那店家也看出來了，俞秀蓮是有本事的，一定是個久走江湖的女子，他就說：「既然姑娘你這麼說，那只好求姑娘多住半天，擋一擋他們。我們開店的可惹不起陶大爺！」俞秀蓮氣忿忿地說：「什麼陶大爺，明天我就要割下那陶宏的頭給你們瞧！」說時，把雙刀向炕上一扔，嚇得那店家打了一個哆嗦，幾乎要坐在地下。秀蓮就指揮着說：「把這碗麵再給我熱熱去！」那店家連聲答應，翻着一雙發愁的眼睛去看秀蓮，然後他皺着眉，端着麵碗出屋去了。

這裏秀蓮歇了一會兒，心中覺得可氣，又覺得可笑。及至那店家再把麵送來時，秀蓮就問那黑虎陶宏住家離此有多遠。店家說：「遠倒不遠，陶大爺就住在城西，離這裏至多有五六里地；可是他手下的人常在街上亂串，走到哪兒都能遇得着。剛才來的那幾個人，本來正在南邊酒舖裏喝酒，是叫那鄉約給找來的。他們這一回去，黑虎陶大爺一定要親自來！」俞秀蓮笑着說：「讓他來吧！他今晚若不來，明天早晨我還要找他去呢。我現在到保定來，就是為找張玉瑾報仇，也順手兒給你們這兒剪除這個惡霸！」她這樣慷慨地說着，臉上真是毫無懼色。因為腹中飢餓，遂就拿起麵碗來吃。店家又出屋去了。

少時秀蓮吃完了飯，就把麵碗和筷箸向桌上一放，盤腿坐在炕上，咬着下唇在沉思。同時，只要院中微微有一點響動，秀蓮就以為是黑虎陶宏、張玉瑾他們找來了，立刻就要抽刀出屋，與他們廝廝殺。可是直等到街頭的更鑼已打了三下，卻還不見有人找來，秀蓮反倒不由得笑了，就想：這些人可也太丟臉了，怎麼叫我打走之後，他們就不敢來了呢？莫非是那金槍張玉瑾他猜出是我來到此地，他曉得我的厲害，所以不敢再來找我決鬥？於是就把屋門關好，氣忿忿地自語着說：「誰能夠等他們一夜？到明天，他們若不敢來找我，我還要找他們去呢！」當即滅了燈，臂壓着雙刀，躺在炕上睡去。因為勞累了一天，雖然身旁還有許多事情，但她也能沉沉地睡去。不覺就到了次日清晨，被院中的雞聲催起，秀蓮穿鞋下炕，忽然又想起昨晚的事，就暗道：

「我既然來到這裏，豈可又輕輕地走開！無論如何我得叫金槍張玉瑾非傷即死，也好去見我父親的墳墓呀！」當下決定立刻去找黑虎陶宏家，會會那張玉瑾。遂開開屋門，叫店家打來洗臉水，然後給了店錢，就說：「快給我備馬，我要找黑虎陶宏去，省得他們來了又攪亂你們這裏。」那店家也彷彿巴不得俞秀蓮快點走，當下他連連答應，到院中去給秀蓮備馬。秀蓮姑娘就提着自己的行李包兒和護身的雙刀出屋，包裹放在鞍後，刀掛鞍下。

此時秀蓮依舊是緊身的夾衣褲，黑紗的首帕包頭，牽馬出門。這時寒風吹得很緊，太陽剛從東方吐出，街上往來的人還不多。秀蓮剛要上馬，忽聽身後有人高聲叫道：「姓俞的！」秀蓮趕緊回頭去看，只見身後一箭之遠來了一匹紫馬。馬上的一個年輕漢子，圓臉膛，濃眉大眼，面帶兇悍之色；身穿青緞子的小皮襖，青緞夾褲；腳下是抓地虎的靴子，登着白銅馬鐙。身後帶着三個穿着短衣裳，莊丁模樣的人。其中一個給馬上的人掮着一桿白蠟桿子上纏着金線穗子的長槍。秀蓮一看，這人眼熟，彷彿在哪裏見過一次似的，遂就一手牽馬，一手按着刀把，瞪了那馬上的人一眼，厲聲問道：「你就是金槍張玉瑾嗎？」

那馬上的人瞪着兇狠的眼光，冷笑着說：「你既然是特意找張大爺來的，如何反不認得你張大爺來？你有膽子就跟着我走，在這大街上我張玉瑾羞於跟你一個女流爭鬥！」說時，他盤過馬去，並回首傲笑着。這裏俞姑娘氣得芳容變色，罵了聲：「你先別說大話，往哪裏去我也不怕你，今天我非得割下你的頭來，去祭我父親不可！」說着秀蓮姑娘飛身上馬，催馬奔過張玉瑾。

那張玉瑾卻勒着轡繩，讓馬慢慢往前去走，他帶着的那三個人就躲在馬旁跟着往前跑。張玉瑾等着俞秀蓮的馬來到臨近，他才冷笑着説：「俞秀蓮，咱們是仇深似海。我的岳父是在七年前被你父親殺死的，我的女人是在你的手裏受了傷，我的舅父苗振山也慘死在你的手裏。俞秀蓮，現在咱們也不必彼此相罵，再走幾步兒，咱們找個寬敞地方索性拚個死活！」秀蓮在馬上氣忿忿地點頭説：「好，今天我非要給我父親報仇不可！」

當下俞秀蓮策着馬，緊跟着金槍張玉瑾往西去走。走了不到半里地，這時就來到一片荒地上，地上滿是殘雪，四下既無村舍，附近也沒有行人。忽然那張玉瑾在馬上接過了他的金槍，回身向俞秀蓮猛刺。秀蓮的馬本來緊跟着他，相距很近，而且手中未持兵刃，冷不防張玉瑾這一槍刺來。幸虧俞秀蓮的手疾眼快，她趕緊一歪身，雙手就將張玉瑾的槍頭握住，罵道：「你算什麼英雄？竟想以暗算傷人嗎？」張玉瑾本來知道俞秀蓮的雙刀厲害，所以打算乘她不備，將她一槍刺死；可是不想金槍反被俞秀蓮給揪住了，張玉瑾趕緊用力去奪。可是，想不到俞秀蓮一個纖弱的女子，原來力量卻是這樣的大。張玉瑾奪了幾下，竟奪不過來自己手中的金槍。張玉瑾急得在馬上亂嚷説：「好刁婦！」

此時跟着他的那三個人，齊都取出短刀和梢子棍來，要來助威。他們還未上前，就見秀蓮姑娘左手揪着張玉瑾的槍，右手由鞍下抽出一口刀來，飛身跳下馬來，掄着刀向張玉瑾的馬上去砍。張玉瑾趕緊催馬跑了幾步，同時把手中的槍奪過去，跳下馬來，轉身反追上秀蓮，擰槍狠狠地刺去。口中並罵道：「跑江湖的小娼婦，你以為張大爺真怕你嗎？」這時，秀蓮看着地上的殘雪往後退了幾步，又由馬鞍下把左手的那口刀抽出，然後雙刀並掄，反撲過張玉瑾去。旁邊的三個人就都躲在遠處，兩匹馬也驚跑了。

這裏俞秀蓮與張玉瑾交戰起來。張玉瑾的槍法極為惡毒，他仗着兵器長，只向俞秀蓮挑逗；打算尋找秀蓮的刀法疏忽之處，他才驀地刺去，想要一槍就結果了俞秀蓮的性命。可是俞秀蓮的刀法也頗有步驟，她曉得張玉瑾的長槍佔着便宜，自己的雙刀很容易失敗，她也有主意。除了用刀去砍張玉瑾的槍桿，就是順着槍桿去削張玉瑾的手指。所以交戰二十幾個往來，只見秀蓮的兩口刀是寒光飛舞，一刀緊一刀向張玉瑾逼近；張玉瑾反倒不住往後退，並且因為用槍桿去擋秀蓮的雙刀，突突的亂響，眼看着槍桿就要被刀砍折了。張玉瑾連退幾步，抖起金槍，又向秀蓮的喉際腳下，上挒下刺；但是都被秀蓮用刀磕開，槍尖休想近得她的身。

又交手數合，張玉瑾的槍法就有些慌忙了，秀蓮姑娘的刀法卻愈緊，直往張玉瑾進逼。旁邊那三個人一看到他們的張大爺要不好，他們就想要過去幫助。這時忽見西邊跑來了一匹馬，馬後跟着十幾個人，全都手裏拿着兵刃。這裏的三個人喜歡得亂跳，招着手喊道：「好啦，好啦！陶大爺來了！」秀蓮姑娘專心與張玉瑾決鬥，她也顧不得西邊是有什麼人來了，她只是把雙刀上削下刺地向張玉瑾進逼，恨不得一刀將張玉瑾砍死，然後出去敵後面來的這些人。

此時黑虎陶宏騎馬來到臨近，便大呼道：「住手，住手！」張玉瑾趁勢把秀蓮的雙刀架住；

秀蓮姑娘雙手橫刀，站個丁字步兒，往馬上去打量黑虎陶宏。只見黑虎陶宏年紀不過二十三四歲，確實生得很黑，並且短小精幹，穿著闊綽，像是個會些武藝的闊少。秀蓮姑娘一點也不氣喘，只瞪了瞪俊目，向馬上問道：「你就叫黑虎陶宏嗎？」陶宏往下看着秀蓮姑娘的俊俏容顏、窈窕的身段和她手中那一對雙刀，陶宏的心裏就又是有點愛惜，又是有點不服氣，也就偏身下馬，身後的人趕緊把他的馬匹接過來。黑虎陶宏向秀蓮拱了拱手，臉上現出一種驕傲的笑色，說道：「你就是俞秀蓮姑娘嗎？哈哈，我很久仰你的！」

秀蓮姑娘見這個黑虎陶宏的樣子很討厭，她就把刀一掄，近前一步，說道：「有什麼話你快說！我沒有那麼多的工夫跟你磨煩。我現在是找張玉瑾為我的父親報仇，你要是躲遠點，就連累不上你；要不然，我非連你也殺了不可！」黑虎陶宏退後兩步，顏色微變，但還故意的微笑着說：「真兇，真兇！陶大爺學藝十年，練了一對雙刀，想不到今天遇見一位女娘兒又要拿雙刀來殺我。我也知道你是巨鹿縣俞老雕之女，本事頗有兩下子，連河南的苗大員外都死在你的手裏，並且現在還敢找到陶大爺的頭上，昨晚在店裏傷了我手下的人，好啊！你的本事還怪不小的！來，你也是雙刀，我也是雙刀，陶大爺今天倒要鬥一鬥你！」說時，向張玉瑾拱手，說：「請張大哥歇歇，讓我跟她幹幹！」遂後由莊丁手中接過一對把子上繫着紅綢子的雪亮的雙刀，並把手下的人都驅開，雙刀左右一分，說：「你過來吧。」

秀蓮此時又是氣憤，又是要看看他的刀法到底怎樣，當時就掄雙刀去砍陶宏。陶宏也用雙刀去迎。四口鋼刀上下翻騰，並有陶宏刀上的兩條紅綢迎風飄舞，白刃相磕，身隨刀轉。黑虎陶宏是短小精悍，刀法極猛。秀蓮姑娘是纖足亂跳，矯軀疾轉，刀法絕不讓人。往來不下二十回合。旁邊的張玉瑾等人看着二人勢均力敵，心中不禁稱讚；其餘的莊丁們卻都手持着兵刃，呆呆地站着，看得眼睛都發直了。

這時黑虎陶宏與俞秀蓮越打相逼越近，四口刀纏在一起，其勢極危，眼看着非得要死一個不可。張玉瑾大驚，剛要挺槍過去幫助陶宏，就見那黑虎陶宏「咕咚」一聲跌倒在地下，兩口帶綢子的雙刀扔在一旁；秀蓮姑娘的雙刀向着黑虎陶宏狠狠地砍下。金槍張玉瑾和那陶宏手下十幾個莊丁，有的掄刀，有的挺槍，有的揮着梢子棍，一起撲奔俞秀蓮來。秀蓮這才趕緊棄了地下躺着受傷的黑虎陶宏，與這些人去斷殺。這些人本想一陣刀槍齊上，將秀蓮當時殺死在這裏，然後去打官司，或是私埋了；可是不想秀蓮姑娘的刀法真叫厲害，她舞動着兩口刀，遮前顧後，簡直沒有一點疏忽，無論什麼人着刀槍，都無法近得她的身。

斷殺了一會兒，反倒叫她又砍倒了兩個人。此時張玉瑾真氣憤極了，挺着金槍拚命地向秀蓮去刺。秀蓮一口刀去敵他，另一口刀還得去抵擋別人，因此她有些招架困難了，何況她斷殺了這半天，力氣也有些不濟了，於是便轉身向東跑去。望見了她那匹馬在東邊一箭之遠，正在啃地下的殘雪，秀蓮就直奔着自己的馬，連躥帶跑地飛奔過去。後面的張玉瑾等十餘人還不肯放秀蓮走，就一齊挺着兵刃追過來，並且喊着說：「好個兇惡的娼婦，今天你休想逃走了！」

此時俞秀蓮拚命飛跑，已將她的那匹馬抓住，把雙刀挾在脅下，就飛身上馬，拍馬向東跑去。並且回首向張玉瑾等十幾個人微笑着，彷彿是說：「你們若有本事，就快追趕上我俞秀蓮來！」後面的十幾個人依然緊緊追趕，張玉瑾也騎上馬提着他那桿金槍，拚命地追趕。前面的俞秀蓮本要撥轉馬去，再與張玉瑾拚一生死，為父親報仇；可是覺得自己的力氣實在不堪再與人拚鬥了，而且張玉瑾的馬後還跟着跑來了十幾個人，全都手中有兵刃，自己縱使刀法好，但也敵不過他們的人多呀！於是秀蓮索性將臂下挾着的雙刀收入鞘中，揮鞭催馬，連頭也不回，就直往正東跑去。

也不知往下跑了多遠，跑得有些氣喘了，秀蓮才將馬勒住。再回頭看時，已然沒有了那金槍張玉瑾等人的蹤影。秀蓮姑娘這才長長地出了一口氣，心裏反覺得十分痛快；不過又想，兩次與金槍張玉瑾交手，全都沒殺了他給父親報仇，也未免有些遺憾。當下策馬往前走着，因為口渴，很想找一個地方喝幾碗茶，歇息一會兒，再往望都榆樹鎮去。這時就忽聽後面有人大聲喊道：「前面的俞姑娘等我一等！」

第三十回　曠野飛沙孤墳沾痛淚　黃昏細雨怪客報驚音

俞秀蓮心中十分驚訝，暗想：這裏是誰認得我？於是在馬上回頭去望。只見後面跑來一騎黑馬，馬上是一個胖子，原來正是那爬山蛇史健。心想：這個人可怪，怎麼我走在哪裏，他也跟我到哪裏？此時史胖子的馬匹已來到臨近，秀蓮就面帶得意之色，向他問道：「剛才我跟陶宏、張玉瑾等人殺砍了一陣，你知道嗎？」史胖子一面在馬上吁吁地喘氣，一面點頭說：「我知道了，我可沒去看。因為金槍張玉瑾那小子認得我，我鬥不過他，所以我沒敢去看。我有一個徒弟，他是前兩天到保定來的。他在遠處看着你們來的，他說姑娘的武藝真是高強，與李慕白不分上下。假若他們不是仗着人多，金槍張玉瑾一定要死在你的手裏。」

俞秀蓮聽了，便不禁微笑，問道：「我砍了黑虎陶宏一刀，不知陶宏死了沒有？」史胖子說：「大概是沒死吧！我聽說是叫幾個人給攙走了的。」秀蓮說：「我與黑虎陶宏倒沒有仇恨，不想傷害他的性命，現在不過是懲戒懲戒他，叫他以後休在這保定再欺壓良民。張玉瑾是我的仇人，我父親就是被他給逼死的。我不殺他，心中真有點氣不出！」史胖子說：「現在沒有法子。姑娘你雖然武藝高強，可是也寡不敵眾；只好先記上這個仇兒，以後請了李慕白幫助，再跟他拚一下。」

秀蓮暗自笑道：為什麼遇見事便都要找李慕白呢？當時又聽史胖子問道：「姑娘你現在要往什麼地方去？」秀蓮姑娘就說：「因為我父親葬埋在望都縣，我要去到墳前掃祭掃祭！」史胖子說：「從這裏到望都，需要兩天的路程，可是往高陽去只一天也就到了。我給姑娘出個主意，姑娘何妨先到高陽黃土坡孟二少爺的墳前看看，也盡一盡夫妻之情。然後再到望都老叔墳上去弔祭呢？」

俞秀蓮一聽史胖子說了這話，她立刻心如刀絞，雙淚滾下。勉強抑制住悲痛的感情，就決然地點頭說：「好，我這就往高陽去看看他的墳墓。」

當下由爬山蛇史胖子領路，俞秀蓮就催馬東去。到晚間，就到了高陽地面，因為天色黑了，不便到郊外黃土坡墓地裏去，所以就在城外找了一家店房住下。次日清晨，史胖子和秀蓮姑娘二人依舊都騎着馬，就到了南郊黃土坡。此時晨寒刺骨，北風捲起坡上的沙土，不住地向人的臉上擊打。秀蓮因為心中悲痛，倒顧不得風沙，可是爬山蛇史健那肥胖的身體往前衝風走着，實在困難。先把兩匹馬都放在野地上，然後史胖子領秀蓮到了一座墳前。

史胖子一面用自己脊梁擋風，一面指着墳墓說：「這裏埋的就是孟二少爺。我的這位老弟，生前性情古怪，寧可忍窮受苦，也不受別人憐恤。我跟他是在法明寺李慕白那裏認識的，李慕白的病多虧他給扶持好了的。可是，他反倒為李慕白的事情慘死了！」

此時俞秀蓮已忍不住雙淚如雨，一手扶着墳前的短碑，一手掩面嗚嗚地痛哭，心裏像被一把極鋒利的刀子在割着，疼得幾乎昏倒在這狂風黃沙之下。同時想着：「孟思昭，我和你生平雖未晤一面，但我自幼由父親作主，許配給你為妻。後來我父親為仇人所迫，全家北上，一半是為避仇，一半也是為送我到宣化就親；可是，我父親便在中途急病而死，臨死託李慕白送我母女到宣化去。李慕白在當初雖曾與我比武求婚，但後來他知道我已許婚於你，他便慷慨光明，對我不但再無別意，並且同行千里，連話也輕易不說一句。後來到了宣化知你已於年前殺傷惡紳，惹禍逃走；李慕白並且對你很加欽佩。那日我也不避嫌疑，夜間去見李慕白，求他到外面去尋訪你，以便我與你夫妻團聚。次日李慕白就走了，以後也再沒有下落。

「後來，我母女寄食你家，備受冷淡。我母親也因病去世。你的胞兄更對我處處凌辱，我因看在你的面上，才遇事忍氣吞聲。將母親葬厝之後，我就單身匹馬，到外面去尋找你。後來隨德嘯峯、楊健堂入都，只見了李慕白一面，但他們仍說未尋着你的下落。其實那時你是因為聽說我將來北京，你反倒先走了。在你不過是因為聽說當初李慕白與我相識，疑惑我們彼此間有什麼情意；並且你自覺落魄，怕我瞧不起你。其實我豈是那樣的人？

「你如今為李慕白的事受傷慘死，臨死還說什麼叫李慕白娶我，但那豈能做到？不獨李慕白他不肯，就是我，在情義上、道理上，也萬難依從。現在我與李慕白已然絕裂，此後彼此連認識也不認識了。可是我到這裏看你時，你只是一抔黃土，你假若是有知的話，你應當怎樣對我呢？

你想我以後的生活是怎樣的傷心呢？……」秀蓮在墳前哭了半天，眼淚把地下的乾沙都浸濕了。風沙吹到面上，把她那秀麗的容顏全都掩住，頭上身上盡是黃土，但秀蓮姑娘的眼淚依然不斷。

旁邊史胖子可真着了急，心想：「倒霉！倒霉！都因為認識了一個李慕白，又由他認得了一個孟思昭，把我的小酒舖也弄去了，連北京城門也不敢再進去。現在又跟上這麼一位姑娘來到這裏受風寒。這位姑娘比李慕白、孟思昭的脾氣還要古怪。我也不敢勸她，倘若勸錯了一句話，她掄起雙刀來，我可真敵不過！」於是他只在旁皺着眉怔着，風沙打得他直咧嘴。

待了半天，他見姑娘哭聲還不止，而且聲音力氣也漸微了。他就着急，心說：「本來現在這些事，就已把那鋼筋鐵骨的李慕白給毀得不得了，好志氣好身手的孟思昭也跑到墳裏住着去了；倘若現在再把這位殺苗振山、打張玉瑾的俠女俞秀蓮哭死在這兒，那我史胖子可真灰心了，我真要看破紅塵，出家當胖和尚去了！」於是史胖子就勸說：「姑娘也就別哭啦，反正是人死不能復生，只要姑娘對得起他就是了。姑娘不是還要上望都去嗎？回店房歇一會兒，咱們就走吧！」秀蓮姑娘聽史胖子說到往望都去的事，她才止住傷心。心想：自己尚有許多事情未辦，哭壞了身體，那時就更難了。於是，秀蓮姑娘就拭淨了眼淚，轉首向史胖子說：「回店房去吧！」此時那兩匹馬正在野地上嘶鳴，二人走過去，各自把馬牽住，就一同上馬回店房去了。

到了店中，秀蓮姑娘拂了身上的土，淨過面，在房中獨坐沉思。少時史胖子又進到屋裏，他就說：「姑娘，今天風太大，咱們何妨歇一天，明天再往望都去？」秀蓮姑娘說：「今天我也想在此歇一天；不過明天我往望都去，你就不必再跟我去了。你幫我的忙，我謝謝你，將來我再報答你！」

史胖子聽了俞姑娘這話，他簡直喜歡得了不得，就說：「姑娘，這話我史胖子可不敢當。我是個最愛管閑事的人，現在我又沒有事，何不叫我跟姑娘到一趟望都。姑娘若想給俞老叔起靈，我可以幫個忙兒。」

秀蓮搖頭說：「現在地凍着，要想起靈也須待來年春天。你若是現在無事……」說到這裏，略略沉思，就微微歎息一聲，說：「好在你與孟思昭也是朋友，你可以替我到一趟宣化府，找着永祥鏢店的孟老鏢頭，盡可以把他二兒子死在外頭的詳情告訴他，叫他們設法來高陽起靈。還有，你可以對孟老鏢頭說，我雖是他家訂下的兒媳，但未成婚，所以我仍算俞家的女兒；不過我是立誓此後決不嫁人。他家給我的一枝金釵，那是我與孟思昭婚姻的訂禮，我將永遠佩帶身邊，我就算為那枝金釵而守寡……」說到這裏，秀蓮姑娘又滴下淚來。然後再向史胖子說道：「還煩你再見着那裏的短金剛劉慶，叫他無論如何也要把我母親的靈柩送到巨鹿去，並且至遲要在來年三月以前，以便與我父親合葬！」

史胖子聽畢，就很爽快地答應，說：「姑娘放心，這些事都交我辦了。我還是受人之託，忠人之事，我史胖子立刻就走！」秀蓮姑娘說：「今天風大，史大哥你何必要立刻就走呢？」史胖子搖頭說：「不，我這個人只要想去辦一件事，就非辦不可，這點兒脾氣我比李慕白、孟思昭他們還古怪。再說我還有個小夥計在保定呢，我也得找上他，叫他幫助我。」

秀蓮聽了很納悶，就問：「你那夥計在保定是幹什麼？」史胖子笑了笑說：「我那個小夥計，他是我的探子。現在他在保定，正在給我探聽那黃驥北的大管家牛頭郝三與張玉瑾等人商量什麼惡計。姑娘你是不知道，這許多人裏誰也沒有黃驥北厲害。那小子是表面慈祥，心地狠毒。他對李慕白、德嘯峯二人恨之入骨，早晚他還得非想法子坑害他們不可！」

秀蓮一聽，不住歎息，就說：「江湖人講究的是憑仗武藝，分別高低。像黃驥北，他也不出頭，他也不打架，只仗以機巧和財勢害人！也未免太卑鄙了！這樣吧，以後如若黃驥北等人再找尋到德嘯峯、李慕白的頭上，就求你去通知我，我一定要幫助他們，報一報他們對我的恩情！」說時，秀蓮面上又現出悲慘之色。

當時史胖子連連答應，他就回到屋內去收拾他隨身的東西，然後便向俞姑娘來說：「我走了。」秀蓮又託付了他許多話。這史胖子就反披着他那件老羊皮襖，出門上馬，衝着狂風飛沙往西北去了。

這裏俞秀蓮對於史胖子很欽佩。心說：這樣的人，才不愧是江湖俠客。當日她在店中歇息了一天，次日就起身往望都去。兩日的路程，便到了望都榆樹鎮。一直到了關帝廟後，去看望他父親的墳墓。只見那俞老鏢頭的墳上枯草縱橫，十分淒涼。秀蓮跪在墳前，痛哭了半天；然後到廟中見和尚。那廟裏的和尚幾乎不認得秀蓮了。本來秀蓮春季在此葬父之時，尚有她母親，尚有李慕白，彼時秀蓮也是溫文纖弱，像是個小姑娘一般。現在呢？秀蓮已經滿面風塵，因為穿着緊箍着身子的夾衣褲，顯出她的身材高得多了。而且她還是牽着馬，帶着刀，簡直像個保鏢的男子。

和尚認了半天，方才認出來，說：「阿彌陀佛，原來是俞大姑娘呀！」當下把姑娘讓到禪堂裏，和尚就說：「姑娘早來半個月也好，就可與那位孫大爺見面了。」秀蓮聽了，不禁一怔，趕緊問說：「是哪位孫大爺？」和尚就說：「這位孫大爺有三十多歲，樣子很雄壯，騎着一匹馬，帶着一口刀。十幾日前他由巨鹿到這裏來，給俞老爺墳上燒了些紙，直哭師父。後來他又跟我們問了些話，就走了。大概是上宣化府去了。」俞秀蓮這才知道，一定是那五爪鷹孫正禮。他到宣化看我來了，也許他還不知道我母親也去世了呢！因此又不禁落下幾點眼淚。又想：「五爪鷹孫正禮他若到了宣化，再會着史胖子，他們與劉慶商量着，一定能將我母親的靈柩送到巨鹿，對於母親靈柩回籍的事倒放了心。」她又向這裏和尚說明，來春必來起運父親的靈柩。和尚也答應了，又問：「俞姑娘，那位李大爺怎麼沒同你來呢？」

秀蓮一聽提到李慕白，她心中又一陣難過。想起春天李慕白在此幫助自己營葬父親，那一種隆情厚意着實可感。可是，那天自己在雪地裏追着他，向他說了那些決裂無情的話，也真使他太傷心了！因此，覺得自己十分對不起李慕白。假若沒有孟思昭那些事，自己願意立刻到南宮縣去找他向他道歉。可是現在就不能。即使走在路上與李慕白相遇，自己也不能理他。「──唉！是誰叫我們作成這樣局面呢？」

當下她悲痛着牽馬出廟，上馬揮鞭，便向南走去。一路走的都是熟路，那是今年春天俞老鏢頭攜妻帶女北上時，路遇李慕白，同戰何三虎等人，以及陷獄墮馬的一些熟地方。如今荒涼滿目，無限傷心。秀蓮姑娘趕行了幾日路，這日午後四時許，便於寒風殘照之下，回到故鄉巨鹿。進了城，回到他們早先住的那胡同，到故居門前下了馬，上前叩門。一面叩門，一面流淚。

少時，門裏就有人很傲慢地問道：「是誰？」秀蓮姑娘聽出是崔三的聲音，她就說：「崔三哥，開門吧！是我，我是秀蓮……我回來了！」裏面地裏鬼崔三趕緊把門開開，就見秀蓮哭着走進來。他就說：「怎麼，姑娘你一個人回來了！」秀蓮姑娘一面哭着，一面點頭。崔三把姑娘的馬匹牽進門來，又把門關上；他就讓秀蓮姑娘進到屋裏。原來俞老鏢頭全家避仇走後，就叫崔三在這裏住着看家。崔三並娶了個老婆，就在這外院住着，裏院的房可還空閑着。當下崔三就跟着姑娘進屋給他的老婆引見。秀蓮就坐在炕上歇息，仍然掉着眼淚。

崔三用袖子擦着眼睛說：「自從俞老叔帶着老太太跟姑娘走後就沒有音信。今年秋天才有北邊來的人，說俞老叔是死在半路了，是由南宮縣一個叫李慕白的人，把姑娘和老太太送往宣化府去了。我們早就想看看去，可是總沒湊上路費。上月，孫正禮才借了些盤纏，先到宣化去看姑娘，然後再往北京去找朋友謀事。他現在也走了快一個月了，不知姑娘在路上見着他沒有？」秀蓮說：「我雖沒見着孫大哥，但我知道他是往宣化去了。」於是崔三的老婆給姑娘倒過一碗茶來。姑娘飲過了，就接着把自己母親也病故在外，及自己本身所遭遇的事，孟思昭為李慕白慘死的詳情都對崔三說了。

崔三哪裏聽說過這些事呢，當下他又咧着嘴哭，又頓足歎息，然後又勸慰秀蓮姑娘說：「既然這樣，姑娘就先在家裏住着吧！等到把老叔和老太太安葬完了，姑娘再想久遠之計。」秀蓮姑娘一面拭淚一面說：「我還想什麼久遠之計，反正我還算是俞家的女兒；但是我不能忘了我曾許配孟家，我也不能再嫁別人！」崔三一聽姑娘說這樣的話，他也不敢再作進一步的勸解。當日他就給姑娘把裏院的屋子收拾好了，請姑娘去住。

從此秀蓮姑娘就住在她的故居，終日依然青衣素服，永不出門。茶水飯食都由崔三夫婦給預備。秀蓮姑娘在家中無事，有時也自己做些針黹，不過她卻不敢把武藝拋下。因為這身武藝是她父親的傳授；同時又想起自己在外尚有許多仇人，將來難免再以刀劍相拚。所以她每天晨起，必要打一趟拳，練一趟雙刀；夜間還有時起來，練習躥房越脊的功夫。

過了些日，巨鹿縣城裏的人，又都知道俞老雕的那個美貌絕倫的女兒現在又回來了。這風吹到泰德和糧店裏，卻又被那梁文錦、席仲孝兩個人聽見。本來梁文錦自從春天在俞家挨了打，他就沒有臉再到巨鹿來，後來俞家父女離了巨鹿，他才慢慢溜到這裏。那席仲孝自然是永遠跟他作搭檔，兩人各在巨鹿戀着一個私娼，一月內，他們總要在這裏住上十幾天。

這天，兩人在泰德和糧店裏聽說俞秀蓮回來的事，那梁文錦立刻又要回南宮去。席仲孝就譏笑他說：「怎麼，你怕她呀？」梁文錦說：「我也不是怕她；不過我早先發過誓，只要她姓俞的在巨鹿住，我就不到這裏來！」席仲孝笑着說：「你倒真有記性，挨過一回打，永遠忘不了疼。現在你沒聽人說嗎？俞老頭子和俞老婆兒全都死在外頭啦，什麼孟家的二少爺也死了。現在俞姑娘是回到家裏來守望門寡。就憑她那不到二十歲的人兒，要守得住，我敢賭點什麼！文錦，你趁着這時候再鑽一鑽，管保成功。」梁文錦一聽，本來心裏很有點動搖，可是後來一想：我別再去挨那傻打了！我梁少東家拿出錢來買女人，有多麼省事，誰找那玫瑰花兒去扎手呢？於是，梁文錦嬉笑着說：「仲孝，我不上你這個當。你要是有這個心，你可以鑽一鑽，鑽上了我佩服你的本事。」席仲孝搖頭說：「我向來是叫女人巴結我，我不去巴結女人。」又說：「現在李慕白回可是回來了，不如咱們再去激一激他，叫他們唱一會戲，給咱們開開心。」梁文錦一聽提起李慕白，他又不由發出一陣妒恨，就說：「找那個倒霉鬼幹什麼！李慕白到了一趟北京，混了快有一年，事情也沒找着。回來是又黑又瘦，比蘇秦還不如。現在在家裏連人都不敢見，我就沒去瞧過他一回。」

席仲孝明知是梁文錦恐怕把李慕白找來，李慕白真個把俞姑娘弄到手裏，那時得把他氣死；所以他才這樣攔阻。當下席仲孝只笑了笑，再也沒說什麼。因為梁文錦即日要走，他也只好跟着梁文錦又回到南宮。到了家中，他卻忘不了那俞秀蓮的事，就瞞着梁文錦來找李慕白。

原來此時李慕白已然回到家中，他叔父嬸母因為李慕白去了一趟北京，事情既沒找着，錢也沒掙回來，反倒弄得面黃肌瘦，終日愁眉不展，因此對他十分冷淡。並且言語之間，還說是李慕白一定在北京眠花宿柳，打架毆人，所以才弄成這個樣子。李慕白卻也不管他叔父嬸母對他的態度怎樣，他只時時難忘了自己這一年以來的遭遇。那俞秀蓮姑娘的俠骨芳姿，謝纖娘的悲慘結局，孟思昭——一位意志堅忍勇敢有為的人，竟為自己的事而慘死，以及鐵小貝勒的愛才仗義，德嘯峯的慷慨熱心，這一切的事時時在他眼前浮現，心中湧起。

他就想：俞秀蓮那方面的誤會，雖然自己不必再去解釋，但是她在那天雪後氣走了之後，究竟往哪裏去了？是回巨鹿，或是往宣化去了？自己應知道知道才好放心。謝纖娘死後，自己資助她母親幾十兩銀子，諒那謝老媽媽一時不至有凍餒之虞。不過她埋葬在何處，自己也應當看看去啊！

因此李慕白想好，明春天暖之時自己再往北京一趟，先到高陽孟思昭的墳墓弔祭一番；然後即入京城，見鐵小貝勒叩謝當初營救之恩；並看望德嘯峯，以踐那天風雪出都，德嘯峯相送時所訂之約；末後看看謝纖娘埋骨之處，以盡餘情。至於黃驥北累次向自己加以侵害的仇恨，張玉瑾與自己的勝負未分，以及史胖子的一切事情，他倒未放在心上。因為現在的李慕白已然心灰意懶，現在只思量將來是怎樣報俠友之恩，補情天之恨，卻不願再與一般江湖人爭雌雄、定生死了。並且回到家裏之後，除了一兩家親戚不得不去見見之外，其餘的同學及友人，他一一謝絕。只有席仲孝曾來看過他一次；但他也說是自己在路上受了風寒，身體不舒適，所以並沒與席仲孝談多少話。

這天是臘月中旬，昨天下了一場大雪，今日雪後天晴。李慕白就在茅舍前，踏着地上的殘雪散步，心裏卻不斷地回憶他那些殘情舊恨。散了一會步，這時就見遠遠的有一人前來。來到臨近，李慕白才看出是席仲孝，心裏不禁發出一種厭煩。暗道：他幹什麼又來了？

這時席仲孝踏雪走着，面上帶着笑容，來到臨近。他就招呼李慕白說：「慕白師弟，你今天覺得病好些了吧？」李慕白也就迎上去含笑說道：「今天才下過雪，路又難走，師兄你何必還來看我？」席仲孝卻笑着說：「若不是下雪，昨天我就來了。我現在來，第一是看看你的病好了沒有，第二……」說的時候他拍了拍李慕白的肩膀，就哼着鼻子笑着，接着說：「我是來再給你報個喜信兒！」

李慕白一聽，不獨心中更加厭煩，且有怒意，就繃着臉說：「你怎麼又來拿我打耍！」席仲孝笑着說：「這回不是打耍，真是喜信兒。走，咱們到屋裏說去！」當下席仲孝拉李慕白到屋中。李慕白此時已滿面愁容，連歎幾口氣，說道：「你坐下，咱們可以談些別的話。千萬別提什麼叫喜信兒，我現在厭煩聽那些話！」

席仲孝聽了，不由得一發怔，臉面稍微露出不願意的樣子。接着他又笑着說：「今天大冷的天，我就為這件事跑來告訴你，你沒等我說，卻先給我擋回去，這是什麼意思呢？」又說：「師弟，你得明白，我對你全是好意。你今年二十多歲，尚未成家，跑了一趟北京，也沒帶回一位師弟婦來，我不能不給你緊張羅些。春天，我帶你到巨鹿，找那俞老雕的女兒俞秀蓮比武求親。雖然親事沒成，可是也叫師弟你看見了天地之間還有那樣美貌的、武藝好的女子。可是你總恨着我，以為我拿你打要。」

李慕白一聽提到俞秀蓮，他又連聲歎氣，連連擺手說：「那過去的事，何必再說呢！」席仲孝卻笑着說：「不，我還是非說不可。今天我來告訴你，還是俞秀蓮的事兒！」

李慕白本以為席仲孝今天來，不定又是說誰家的姑娘好，又給自己來做媒。可是如今一聽提到了俞秀蓮，立刻他的心中又是一陣悲痛。同時又不由得往下聽去。就聽席仲孝說：「前天我跟着梁文錦到巨鹿去，聽說那俞秀蓮姑娘現在已然回到家中。她的父母全都死了。她不是許配給什麼宣化府開鏢局的孟家了嗎？現在那孟家二少爺也死了，聽說還是跟什麼人拚命受傷而死的。現在俞秀蓮在家守望門寡。可是她那麼年輕的人，守寡哪能守得住？後來還不知道便宜誰。我想與其便宜別人，不如師弟你再到巨鹿去。你不是跟俞老雕見過面兒嗎？你還可以藉着探問俞老雕的喪事為名，去拜會拜會俞姑娘。那麼，憑師弟你這個人才，她又是知道你的，你耐着性兒鑽一鑽，管保能把姑娘弄到手。然後我們一喝你的喜酒兒那多麼開心！」說時，席仲孝笑得閉不上嘴；並且要拉着李慕白即刻就去。

李慕白此時心中悲痛得幾乎要落下淚來，同時對俞秀蓮發生出無限的欽佩與憐惜。並且也想着：秀蓮現在已平安回到她自己的家中，我也算放心了。於是深深歎了口氣。本想要把自己與俞秀蓮和孟思昭三人之間的一段孽緣恨史，詳細告訴席仲孝；可是又想：席仲孝原是一個俗人，而且愛多說話，倘若他知道了自己的事情，必要到處去說，那時叔父必要更對自己不滿意，而且就許有人又給俞秀蓮編出許多壞話來。於是便向席仲孝慘笑了一聲，說：「我李慕白豈能做那種事呢！秀蓮姑娘是守寡，還是將來另嫁，我全不願聞問。她父親俞老鏢頭雖與我見過一面，談過幾句話，但彼此並無什麼深交。俞老鏢頭去世了，她家又沒有開弔，我又何必去探喪呢？」

席仲孝還沒聽明白李慕白的話，就連說：「那不要緊，你可以想個別的法子去見她。只要你的大腿能跨進她家的門檻，那你的媳婦就算娶成了。」遂又笑着說：「慕白，據我想你跟那俞秀蓮一定是有緣，所以她才先把那沒有造化的姓孟的小子妨死，好來嫁你。」

李慕白一聽席仲孝又污辱到孟思昭，不禁於悲痛之中又生出怒氣，就狠狠地把腳一跺說：「咳，你不要再提了！什麼姓孟的、姓俞的，人家與我毫不相干，你何必要在我的耳旁絮絮不休呢！」席仲孝見李慕白竟對他發起氣來，就不由也把臉繃起來說：「怎麼，你倒跟我鬧起脾氣來？我是為給你找老婆，難道你娶來老婆，我還能沾什麼便宜嗎？」李慕白又歎了口氣，便轉頭不理席仲孝。

席仲孝瞪着眼看着李慕白的背影，只見李慕白頸項和肩膀都比先前削瘦得多了。心說：這個倒霉鬼，在北京不定困了多少日子。現在落拓而歸，竟連娶媳婦的事也不敢叫人再提了。於是他就嘿嘿地冷笑了兩聲說：「慕白你不願去也就完了，何必跟我生氣？為一個俞家的丫頭，咱們傷了師兄弟的和氣，也對不起師父！」

李慕白聽席仲孝罵俞秀蓮為俞家的丫頭，他就更是生氣；可是一聽提到了他們的師父，李慕白心中又不由一陣悽慘。就想起當年師傅傳授武藝之時，雖然他的徒弟很多，但他對自己卻另眼看待，常常瞞着他人，在背地裏傳授他生平的絕技。師父的意思，原是為叫自己在江湖上立些名聲，做些俠義的事情，以為他爭光；不想自己如今卻叫這種情愛的事情，消磨得毫無志氣，這真辜負了師父當年傳授武藝時的苦心了！李慕白心中這樣一難過，連席仲孝什麼時候出屋離去的也都不知道。他只坐在椅子上仰頭長歎，歎息了半天。從此，他對於俞秀蓮是稍稍放心了；但想起孟思昭與纖娘二人的事情，依舊不勝哀感。因此仍覺得志氣頹唐，人生無味。

過了殘年，便入新春。自從把席仲孝得罪了之後，李慕白這間小屋，更是沒有人來了。轉眼之間，已到陽春二月，桃李將開，一片芳春麗景更是惱人。李慕白終日愁居，身體日漸衰弱，連他自己都害怕了，覺得自己若這樣下去，可真連生命都要完了。於是心中略略振奮，就想再行整裝，北上赴都，以踐德嘯峯今春相會之約，兼弔纖娘墳墓。

正在行意已動，未定動身之期的時候，忽然這天黃昏時候，窗外落着淒涼的細雨，屋中昏暗得看不見東西。李慕白正要點起燈來，看書以作消遣，這時就忽聽外面有人敲打柴扉之聲，又聽見兩聲馬嘶。李慕白心中詫異，暗道：這是什麼人，在這時候來找我？於是走出屋去，到柴扉前問道：「是誰，你找什麼人？」柴扉外似乎聽出李慕白的語聲兒來了，就用那很粗的男子的嗓子，學着嬌滴滴的女人聲音說：「你快開門吧，我是俞秀蓮呀！翠纖姑娘兒也同着我來啦！」一李慕白又驚詫又生氣，罵道：「什麼人，敢來打要我李慕白！」遂就要開門去打那人。但是當他把柴扉啟開之時，外面的一個胖子卻哈哈大笑。李慕白才於黃昏細雨之中看出這個人來，原來卻正是爬山蛇史健。李慕白又是氣，又是笑，就問道：「史掌櫃，你有什麼事到我這裏來？」史胖子先拱了拱手，說：「李大爺，別來無恙？今天我來到府上，一來是拜訪，二來……」說時他牽着一匹黑馬，往柴扉裏就走。李慕白十分納悶，就叫史胖子牽馬進門，將馬繫在一棵桃樹上，然後李慕白讓史胖子到屋裏。他就一面點燈，一面問道：「我知道，你找我來一定有事。到底是什麼事？快對我說！」

史胖子卻坐在椅子上，脫下他身上那件被雨淋濕的短夾襖，一邊用手巾擦着辮子上的雨水，一邊說：「事情可是要緊的事情；我由北京連夜趕來找你，等我歇一歇再跟你說！」李慕白一聽，史胖子是由北京連夜趕了來的，就不由更是驚異，着急問道：「什麼事？你快告訴我！」那史胖子初進門時，本來是一張玩笑的臉，忽然變為嚴肅了。他說：「你猜是什麼事？」李慕白說：「莫非是德嘯峯家出了事？」史胖子點頭說：「不錯，你猜得對。現在紫禁城中，深宮大內裏丟失了幾件珍寶，瘦彌陀黃驥北為報去年結下的仇恨，便唆使宮中的大總管張太監，竟誣德嘯峯為盜寶的要犯。現在德嘯峯已被押在刑部獄中，並且牽連了許多京城中富貴人物。恐怕德嘯峯的身家性命眼前就要保不住吧！」

李慕白未等聽完，面上就變了色，趕緊問道：「你快告訴我！詳細的情形是怎麼樣？」史胖子說：「詳細的情形我也不怎麼知道。不過是因為有一個北京巨商楊駿如。」李慕白驀然想起此人，也是一個胖子。自己初到北京時，就在石頭胡同遇見他同着德嘯峯，曾一起到班子裏逛過一回。於是就點點頭說：「我知道，此人是開當舖的。」

史胖子點頭說：「不錯，他是京城有名的當家，開着好幾處當舖，家中很有錢。上月，他的當舖裏收進幾十顆珠子，還有張字畫。其實這也不是什麼要緊的東西，可是不料被御史查出來了。原來宮中大內現正丟失了許多珍寶，這幾件珍珠字畫，正是宮中所失之物。當時將楊駿如抓了去，並且押起幾個太監和兩個侍衛。其實這件事與德嘯峯也毫無相干。不料德嘯峯與楊駿如原是至友，他又出頭去營救楊駿如，因此黃驥北才乘機會陷害德嘯峯，說德嘯峯是全案的主謀，因此才押起來，家裏也抄查了兩次。現在除鐵小貝勒和邱廣超還替德嘯峯打點打點，其餘的親友全都躲避不及。我想因李大爺你是德嘯峯的好友，他與黃驥北結仇也是由你而起，現在他押在監獄，你雖無力救他，可是也應當前去看看他，也算朋友的義氣！」

李慕白這時急得連坐都坐不下，聽史胖子談到朋友的義氣，李慕白就苦笑道：「我與德嘯峯相交雖只一載，但我們卻非泛泛之交。當我離開北京之時，那天正下着大雪，德嘯峯送我出了彰儀門，就與我訂的是今春之約。這幾日我也正要往北京去看望他，不料你就來了。多謝你連夜自京趕來，告訴我朋友受害的事。好！我要立刻就走。我們以後再盤桓吧！」史胖子一聽李慕白要即刻起身，連夜赴都，前去營救德嘯峯，他不由十分欽佩。趕緊伸出大拇指來，說：「好，我佩服你李慕白！鐵掌德五不枉交你這個朋友。」

當下李慕白忙碌了一陣，就把隨身的行李收束好了，然後向史胖子說：「你先到門外等候我，等我辭別我的叔父。」史胖子點頭道：「好。」他就出屋，由桃樹上解下馬匹，啟開柴扉，在黃昏細雨之下等候李慕白。

此時李慕白卻不向他的叔父辭行，因為他知道他叔父李鳳卿，在這時候已就寢了。而且若曉得他即刻起身到北京營救朋友，那也是決不能允許的。於是李慕白便濡筆抽箋，為他叔父留下一封字柬。在寫信時，李慕白就不禁落了幾點眼淚。然後熄了燈，攜帶包裹及寶劍悄悄出門。先交給史胖子拿着，然後他重進門內，到房後將那匹黑馬備好牽出。看他叔父的屋中並無燈光，李慕白又揮了幾點眼淚。然後將柴扉倒帶上，便由史胖子手中接過行李及寶劍，捆在鞍後，與史胖子牽馬出了村子。

這時，天色已然黑了，雨下得更大。才行不遠，二人的身上便都淋濕。史胖子就停住腳步，說：「咱們上馬吧！你往北京去，我還要到旁的地方，半月之後，咱們再在北京見面。」李慕白知道史胖子行蹤詭秘，自己也不便問他到什麼地方去，去找什麼人，遂就點頭說：「也好！其實你與德嘯峯並不相識，你也不必再到北京為他的事奔忙了！」史胖子說：「我並不為德嘯峯，我卻是為幫助你。」又問：「你的盤費夠不夠？」李慕白說：「盤費我已帶着了。」當下二人各自上馬。走到一股岔路前，史胖子就拱手說：「再見吧，我往西去了。」李慕白也在馬上拱手，說聲再見。當時史胖子的黑馬就順岔路走去。

這裏李慕白緊緊策馬，順着北上的大路，連夜趕行，走二日才歇宿一夜。如此曉風殘月，山色斜陽，一點也不顧行旅之苦，只盼急急趕到北京，好去與德嘯峯見面。路上不稍停留，只有路過高陽縣之時，走在黃土坡前，李慕白曾下馬走到孟思昭的墳前，揮了幾點眼淚。然後依舊上馬，很快地向前行走。他因為心中焦急，所以也不計路程和日期。不過他記得，他是二月底離開的南宮。及至到了北京，那春城中的柳色才青，桃花尚未開放。

李慕白一進北京城，並不先找下處歇息，他卻一直進城內，到東西牌樓三條胡同德家門首。只見德宅雖然門庭依舊，但是景象全非了。一對大紅門緊緊地關閉着，門前不要說人，連一條車走過的痕跡也沒有。李慕白在門前下了馬，自己將馬匹拴在樁子上，然後就上台階去拍門。

拍了半天門，裏面才有人問道：「是找誰呀？」李慕白很急快地說：「快開門吧，我是德五爺的好友李慕白！」裏面的人一聽是李慕白來了，這才趕緊把門開開。裏面的人真是又驚又喜，說：「噯呀，我的李大爺，你來了才叫好呢！」說時，趕緊請安。李慕白一看，原來是給德嘯峯趕車的那個福子。李慕白向福子說：「你給我看着馬匹，我進去見老太太！」

當下李慕白不待僕人通報，他就直往裏院走去。順着廊子走過了客廳，這時才見有一個僕婦由裏院往外走來。李慕白就說：「你先給我回稟老太太，或是大奶奶，就說我是李慕白，現在是由南宮家鄉特來看五爺！」那僕婦本來沒有見過李慕白，可是她卻知道李慕白是她主人的好朋友，當下她就向李慕白請安並且說：「我們老爺是……」李慕白說：「五爺的事我全曉得，現在我就是要見見老太太和大奶奶！」當下那僕婦在前面走着，李慕白在後面跟隨。進到裏院，那僕婦就先到德大奶奶的房中去稟報。

德大奶奶一聽說李慕白來了，她心中也很是喜歡。因為李慕白是她丈夫生平最佩服的人；又因這許多日，家中被人搗亂得時刻不得安寧，李慕白現在來了，一定能給她家擋些事情。當下德大奶奶就告訴僕婦說：「你把李大爺請到我的房裏來！」

本來德家是滿族在旗的家庭，很重禮節，外面的男客絕不能進內院。但李慕白卻不同旁人，德嘯峯待他如兄弟一般。去年李慕白初次到德宅來，德嘯峯就請他到裏院，見了老太太和大奶奶，所以現在李慕白也不避嫌忌，他聽了僕婦的話，就走進德大奶奶的房中。德大奶奶已起身迎到外間，李慕白不敢仰視，一躬到地，叫聲嫂嫂。

那德大奶奶這時已然滿面是淚。一面還禮，一面說道：「李大兄弟請坐吧！你五哥的事情，你聽說了嗎？」說話的時候，聲音很是悽慘。李慕白此時也不禁垂淚，就說：「我因為聽說我哥哥被黃四所陷，現在打了冤屈官司，我才急急趕來，但是還不甚知覺詳細情形。請嫂嫂告訴我，我一定盡我的心力給我哥哥想點辦法！」說時，在旁邊一隻紅木小凳上坐下。僕婦送過茶來，李慕白也不喝。

當下那德大奶奶就一面哭泣，一面把德嘯峯為營救朋友楊駿如，以致打了詿誤官司，黃驥北買通了宮中張太監，給德嘯峯揑造罪名等事道來。所說的事情倒與史胖子告訴李慕白的那些完全相合。不過德大奶奶又說：德嘯峯現在已由愼刑司轉解到刑部。因為有鐵小貝勒和邱廣超給打點，倒受不了什麼苦處。並且聽說嘯峯這官司雖然不能釋脫乾淨，可是將來定罪時，或許不至於死。可是聽說現在黃驥北在外面揚言，他非把德嘯峯置諸死地不可。並且那黃驥北又使出胖盧三家開的錢莊，拿了些假造的借據，來到家門口要賬。說是德嘯峯欠過他們十萬兩銀子，非叫償還不可。可是到監獄裏去問德嘯峯，德嘯峯卻說自己生平不欠外賬，而且與胖盧三的錢莊向無來往。可是他們錢莊的人非常蠻橫，一定要逼着在月內還錢，並且帶着證人。證人就是春源鏢店裏的馮懷、馮隆和四海鏢店的冒寶昆，這都是平日與德嘯峯毫無交情的人。如今忽然都來登門索債，講理也沒處去講理。要驅逐他們走開，他們就要打人。並且自德嘯峯打了官司，至今不過一月，家中被官人抄查了兩次。每次官人走後，必要短少許多值錢的東西。為打點官司，也花了三千多兩銀子。

德家雖然頗有祖遺財產，但他生平交朋友，已花去了不少，如今要再籌劃幾萬兩銀子，那非要典屋賣地才行。早先家中男女僕人本有十幾個，可是自從遭事以來，有幾個男僕就很不安分，常常深夜在門房裏聚賭。所以德大奶奶就辭散了幾個男僕，現在家中只留下壽兒、福子和一個廚子、一個男僕，因此很感覺孤單。

李慕白聽了德大奶奶這些話，他心中十分難受。並且憤恨那黃驥北，暗罵道：你把德嘯峯陷入監獄就夠了，你何必還要使出胖盧三家錢莊的人和馮懷、馮隆、冒寶昆等人，假造借據向人家孤單的婦女訛詐錢財呢？未免太該殺了！又想：「京城是大地方，竟容許黃驥北這樣的人胡作非為，也太奇怪了！好！黃驥北，這次我到北京來，非跟你拚個死活不可！」

當下李慕白就勸慰德大奶奶說：「嫂嫂不要着急，也不必心裏難過。我現在來了，黃驥北和那些來訛詐的人，都由我去擋。回頭我再去見見鐵小貝勒，催他快點給我哥哥的官司想辦法。我想北京城這裏雖然有些惡霸貪官橫行，可是也不能毫無情理的就把人給害死。嫂嫂放心吧！我哥哥待我恩如山厚、義同手足，我就是死了，也得救他出來！」

說到這裏，李慕白不禁用手巾拭淚。德大奶奶也哭着向李慕白相託，並請李慕白就住在外院，以應付那些持着假借據來訛詐的人。當下李慕白答應了，又要去拜見德老太太。德大奶奶卻攔住李慕白說：「老太太年紀高了，不敢叫她老人家知道這些事情。現在只說是嘯峯出京辦外差去了。連前兩次官人來到這裏搜查，都是花了好些錢請求，才沒驚擾到老太太的屋裏去。」李慕白聽了，不禁又長歎一聲，說：「既然這樣，我也不敢拜見伯母去了。我現在就出去到刑部監獄裏看看我嘯峯哥哥，然後我就到鐵小貝勒府拜見鐵二爺。嫂嫂還有什麼話吩咐嗎？」

德大奶奶一面拭淚，一面搖頭，說：「我剛才打發壽兒看他老爺去了。李大兄弟若見着你五哥，千萬勸他在監裏別着急，並叫他放心家裏！」李慕白點頭，連聲答應，並說：「嫂嫂放心，我哥哥若知道我來了，他一定就不着急了，並且他也放心家中，絕不會受人欺負！」德大奶奶又問李慕白用錢不用。李慕白搖頭說：「不用，我手下有一個取錢的摺子，那還是去年我哥哥給的。我並沒用了多少，大概還很夠些日花用的。」

說畢，他站起身來，向德大奶奶打躬，走出屋裏。順着廊子走着，心裏想着瘦彌陀黃驥北的卑劣惡毒行為，實在叫人怒氣難忍。到了前院，就把福子叫過來，說道：「把我的馬匹牽到車房裏好好地餵。把我的行李和寶劍都送在外書房裏。從今日我要在這裏照應家中的事，倘若那什麼錢莊裏的人和什麼姓馮的、姓冒的前來訛詐，就告訴我，我去擋他們；若是我沒在家，你叫他們等着我。告訴他們說，只要見着我李慕白，別說十萬，就是一百萬我也有！」

福子連連答應，心裏卻說：「得啦！李大爺，只要把你的名頭說出去，他們跑都跑不及，還敢要賬！」

當下李慕白先到書房裏洗過臉，換上一件乾淨的衣裳，然後就出門雇車，往刑部去。走在路上，李慕白並不坐在車箱裏，他卻跨着車轅。想着心中氣憤的事，揚目四顧，恨不得對面走來了瘦彌陀黃驥北，自己立刻跳下車去，一頓拳腳將他打死。

第三十一回　相會鐵窗正言規俠友　獨來青冢悲淚弔芳魂

李慕白這輛車走了多時才來到刑部街，還沒走到刑部門首，只見一個穿灰布夾襖青坎肩的小厮模樣的人，低着頭迎面走來。李慕白認得這是德嘯峯的跟班壽兒，遂在車上叫道：「壽兒，壽兒！」那壽兒抬頭找了半天，才看見跨着車轅的李慕白。壽兒立刻又驚又喜，趕緊跑過來請安並問說：「李大爺，你是什麼時候才來的呀？」李慕白叫車站住，就說：「我今天過午才進的城。剛才見了大奶奶，你們老爺的事情我全都知道了！現在我特來看你們家老爺。」壽兒說：「我也是才看了我們老爺。李大爺你要去，我同着你去，咳，我們老爺這官司真……」說着，壽兒竟在道旁哭了起來。

李慕白跳下了車，就叫趕車的在這裏等着他。李慕白就對壽兒說：「你也不要發愁了，我現在來了，對你們老爺的事多少總有點辦法。我跟你們老爺的交情你也知道。」壽兒連說：「是，是，我們老爺在監裏還常常提你呢！」李慕白聽了這句話，心中又不禁覺得一陣悽慘。

當下壽兒在前，李慕白在後，就一同到了刑部的監裏。因為德家的錢打點到了，所以看獄的官吏，對於這才來看了一次現在又回來的壽兒和李慕白，也不加以攔阻。派了一個獄卒帶着壽兒和李慕白，就到了監獄鐵柵欄外。

德嘯峯押在這裏已近一月，因為他是京城有名的內務府德五爺，所以管獄的特別優待，給德嘯峯預備一間乾淨的獄房，並給在獄房中安置了一張牀鋪。當下壽兒先跑到鐵窗前，流着眼淚向裏面叫道：「老爺，老爺！李慕白李大爺來了！」

少時德嘯峯走到鐵窗前，一見李慕白，他就歎息了一聲，說：「咳！兄弟，我就怕你來，到底你還是來啦！」此時李慕白早已滿眼是淚；但是德嘯峯雖然形容稍見消瘦，面上並沒有愁容，眼角也沒有淚跡。李慕白就說：「大哥，我自離京後，本想要來京，以踐今春與大哥相會之約；不料忽聽人說大哥被黃驥北所陷，打了冤枉官司，所以我趕緊來了。剛才到大哥家裏見了我嫂嫂，嫂嫂也對我詳細說了大哥的事情，我才趕緊前來看望大哥！」

德嘯峯點了點頭，很從容地說：「兄弟你別發愁，連我自己都不發愁，頂多黃驥北託人情把我弄個斬立決。那算不了什麼的，照舊有朋友到墳上看我去。只有兄弟你，千萬要自尊自重，不必和他們那幫小人一般見識。現在兄弟你既來了，也好，你就先住在我家，照應照應你嫂子和你姪兒。至於我們老太太那倒不要緊，黃驥北雖狠，難道他還能派人把我母親害死嗎？」

李慕白聽了愈是揮淚，就說：「大哥放心吧，我決不能給大哥再惹事。可是黃驥北若再找到我的頭上，或是馮懷、馮隆等架着那錢莊的人，拿着假字據再到大哥的門前去訛詐，那我決不能饒他們！」說時瞪着眼，忿忿地握着拳頭。德嘯峯又歎了一聲，說：「兄弟，我不願意你來就是因為這個。你給我惹禍不要緊，可是你跟他們值得一拚嗎？兄弟，在哥哥的眼目中，一萬個人裏也找不出你這麼一個來。可是黃驥北，別瞧他有錢有勢，我德五實在看不起他。」

李慕白聽了德嘯峯這話，他越發感激得落淚。就說：「大哥，你現在的事我不能不焦心，因為你與黃驥北結的仇，全是因我而起。我若不把大哥的官司洗清，我若不把大哥的仇恨報了，我還算是什麼人？」

德嘯峯搖頭說：「不是，兄弟你說錯了，你記得去年夏天咱們兩人逛二閘，遇見黃驥北，他不大愛理我，我就跟你說過，我們兩人早先因為親戚之事情，曾有點小小仇恨。現在這件事還是由早先的那點仇恨而起。再說，我也不能全怪黃驥北。假如我不幫楊駿如的忙，我也不至於拉到這件官司裏。兄弟，你千萬別逞一時的氣忿，又弄出什麼麻煩來。咱們就是有氣也先存在心裏。我這件官司也未必就成死罪，日子也還長着呢，有什麼話咱們將來再說！」又說：「兄弟你千萬聽我的話！至於胖盧三家開的那幾個錢莊，假造借據向我家吵鬧，我確實有點氣兒，可是也不發愁。只要兄弟你在我家住着，天大的膽子他們也不敢再去吵鬧。你不知道北京這些個土棍地痞們，是多麼怕你哪！」說到這裏，聽德嘯峯反倒笑了笑。但是鐵窗外的李慕白，此時仍然難抑胸中悲憤之情。不過德嘯峯既然這樣勸他，他也不好不點頭說：「是，我聽大哥的話，望大哥在這裏多多保重。我回頭就見鐵小貝勒去，再請他給大哥想些辦法。」

德嘯峯說：「鐵二爺和邱廣超他們對我這件官司都是很關心的，每天必要打發人看我。你去若見了他們，千萬替我道謝。」說到這裏，德嘯峯忽然想起一件事來，他就說：「還有一件事，似乎我不該再問你，就是那位俞秀蓮姑娘。自去年十月間，你在雪天走後，次日她忽然不辭而別，也不知道她是往哪裏去了。我想她一定是追下你去了，不知你曉得不曉得那位姑娘現在的下落？」

李慕白一聽德嘯峯又提起俞秀蓮來，他不禁又另外有一種傷心。就想起德嘯峯為我自己與俞秀蓮的事，真是不知費了多少事、着了多少急；他雖然不明白我與俞秀蓮雙方的衷曲，但是他的熱心、他的好意，真是叫我難忘。如今他在危難之間，還不忘我的閑事，問俞秀蓮下落，可見他真是古道熱腸了！遂就說：「俞姑娘去年追了我去，我並沒有見着她。但是我知道她現在已然回到巨鹿她的家中，一個人獨自度日，不常出門。好在她父親留下一點財產，不至於受苦。」

德嘯峯連道：「好好，這樣我也放心了。你把這話也告訴你嫂子，因為她也很惦記俞秀蓮姑娘的。」李慕白也答應了。當下因為話說得很多，旁邊的獄卒已要出臉子來了。李慕白知道獄卒的厲害，不願招他說出很難聽的話來，遂就向鐵窗裏說：「大哥你歇一歇吧，我現在就見鐵二爺去。」德嘯峯在鐵窗裏點頭說：「好吧！你去見鐵二爺替我問好道謝；能順便見見邱廣超更好。他為咱們的事，跟黃驥北絕了交，現在鏢傷才好。我這官司他也幫了不少的忙。」

李慕白點頭說：「好，好，我先去見邱廣超，然後再去見鐵二爺。」德嘯峯說：「對，這樣也順路。兄弟你放心吧，哥哥的武藝雖不如你，但是心腸卻比你硬。我在家裏雖是享福慣了，可是現在監裏也不覺得怎麼苦。以後你也不必天天來，每隔幾天咱們哥倆見個面就行啦，你還是照應我們老太太和嫂子姪兒們要緊！」

李慕白聽了，眼淚又流下，極力忍着悲痛，向德嘯峯深深一躬，方才同壽兒走出獄門。先打發壽兒回去，然後李慕白就上了車，叫趕車的趕到西城北溝沿。及至到了邱侯爺的府前，門上卻說邱廣超帶着他的夫人看親戚去了。李慕白就在房裏寫了一個帖子留下。並對門上的人說：「我叫李慕白，現在是特來看望你們大少爺，並為德五爺的事向他道謝。」

說畢，就出了邱府。剛要上車，忽見由門裏出來一個高身材的人，披着件大夾襖，像是練功夫的人的樣子。此人不住地用眼看李慕白。李慕白認得此人，是邱府教拳的師傅秦振元。自己在春源鏢店打服金刀馮茂時，曾與他見過一面。心說：他跟那馮家兄弟、冒寶昆等人都相好，叫他知道我來了也很好。他若把話一傳過去，那羣土痞就不敢再幫助錢莊的人向德家訛詐了。

這時，秦振元見李慕白來了，他也像是頗為驚訝，直着眼，張着嘴，那意思是要跟李慕白說話。可是李慕白並不理他，就叫趕車的將車趕到安定門內鐵貝勒府。在府門前下車，李慕白就走到府門。門上有不少認得李慕白的，就齊都說：「李大爺你好呀！現在從哪兒來呀？」李慕白笑着說：「我是從家裏來，今天才到北京。煩勞哪位大哥，替我回稟一聲，我要見見二爺。」門上立刻有人帶李慕白進到二門裏，然後李慕白在廊下站着等候，門上的人回報進去。

不一會那得祿就跑出來，向李慕白請安說：「二爺有請！」李慕白笑着點了頭，跟着得祿，順着廊子往裏院走，依舊到西廊下那小客廳裏落座。得祿送過茶來。他小聲與李慕白談話，就說：「我們二爺常常想你，說你的寶劍真是走遍天下也找不出對手兒來。」李慕白聽得祿把鐵小貝勒背地讚揚自己的話對自己說了，因此又想到孟思昭。孟思昭的劍法實在不在自己之下，可惜他竟為自己的事而慘死了！因此心中又是一陣悲痛。

這時得祿聽見窗外腳步聲兒，他趕緊去開門，鐵小貝勒就進屋來了。李慕白趕緊起身，向鐵小貝勒深深施禮。鐵小貝勒含笑問道：「你是今天才來的嗎？家裏都好？」李慕白恭謹地答道：「是，我是今天午前進的城。家裏也全託二爺的洪福，還都好。」

鐵小貝勒先在椅子上坐下，然後向李慕白說：「你請坐！」李慕白在對面凳子上落座。鐵小貝勒就問說：「你見着德嘯峯了嗎？他的事情你全知道了吧？」李慕白說：「我因在家中聽說了嘯峯的官司，我才連夜趕來，現在就住在他家。剛才我到那刑部監獄裏看了他一次，他還叫我來問二爺好，並向二爺道謝！」

鐵小貝勒點頭，歎了口氣，說：「德嘯峯那個人太好交朋友了！對朋友的事他是不管輕重，全都熱心給辦。譬如那楊駿如，此次他實在有私買宮內之物的嫌疑；德嘯峯倘若不出頭營救楊駿如，他也許不致被拉到裏頭。現在黃驥北成心跟他作對，是由裏闈子託的人情；我也有的地方莫能為力。不過慕白你可以告訴德嘯峯，叫他放心。他這官司若想洗清楚了，大概很難；不過我敢保證，絕不能叫他因為這件官司就死了。」李慕白連連點頭稱是，並不禁流下幾點眼淚。

鐵小貝勒歎息了一聲，又說：「我與嘯峯相識多年，無論如何我得救他；只是你，千萬別因為朋友的事，又作出什麼莽撞的行為。因為黃驥北恨你比恨德嘯峯還要厲害，你又有早先那檔子官司；倘若他要再花出點錢來收拾你，不用說你再有別的舛錯，就是你再被陷到提督衙門的獄裏，那時你叫我顧你呢？還是顧嘯峯？」李慕白連連答應，只說：「我一定不惹事，一定忍耐。」心裏可是怒不可遏，恨不得立刻將瘦彌陀黃驥北殺死才痛快。又談了些話，李慕白就向鐵小貝勒告辭。鐵小貝勒命得祿送他到府門外。

李慕白上了車，就叫趕車的往東走。他此時心臟都要氣裂，暗罵道：「這麼一個黃驥北，非官非吏，只仗着有些錢，他在京城竟所以如此橫行，鐵小貝勒都不能奈何他。天地之間還有王法在嗎？我非要殺了他不可！」又想：「德嘯峯早先為自己的事曾在鐵小貝勒面前，以他的身家作保，救我出獄，俞秀蓮的事與人家有什麼相干，但他卻着急惹氣，極力想給我們成全；這次他被陷在獄，生死難卜，但他還不願我來，以免我因他的事又惹禍吃苦。德大哥呀！你這樣的朋友，真叫我李慕白除死不能報答你了啊！……」李慕白坐在車上不住流眼淚。少頃，他瞪着眼睛想了想，便決定自己的主意，便不再傷心。

車往東四牌樓去走。才走在三條胡同西口外，就見南邊亂七八糟地來了一夥人。有兩個是青衣小帽，像是做買賣的，還有兩個穿着紫花布褲褂、披着大夾襖的人，卻是那春源鏢店裏的馮懷、馮隆；另有一個身穿寶藍軟綢綿襖青緞坎肩的，就是那壞蛋冒寶昆。李慕白知道他們一定是又要到德家吵鬧訛詐去，便忍不住心中的怒氣。心說：好，好，碰得真巧！說時他跳下車去，掖起長衣裳，奔過那一羣人去，就怒喝一聲：「都站住！」

這一羣人這時正是氣昂昂地往前走着。尤其是冒寶昆，他攥着兩個乾瘦的拳頭，對那兩個錢莊的夥計說：「這回無論如何得跟德嘯峯的媳婦要銀子；他們要不給，就把他們家裏的老小全都趕了出去。咱們佔住房子，然後再請黃四爺處置。」同時想到倘若訛了德家的錢，黃四爺至少又得送給自己一二百兩，那有多麼好呢！可是這時忽然面前就大喝了這一聲，嚇得他們幾個人趕緊站住。揚目一看，冒寶昆的腿立刻就軟了，馮懷、馮隆兩人本想抹身就跑，可是見李慕白掖着衣裳，握着拳頭，已來到面前，他們兩人明知跑不了啦，就齊都由身邊抽出短刀。

李慕白拍着胸脯說：「好，好，你們先不用去訛詐德家去，我李慕白先看看你們到底有多大的本事，黃驥北會這麼重用你們！」馮懷、馮隆兩個人手中雖然全都握着刀，但臉色卻全都嚇得慘白，不敢上手。

冒寶昆本來想跑，可是兩腿不給他出力，他只得翻着兩隻小眼睛，向李慕白作出一種媚笑來，伸着頭，拱着手說：「原來是李大哥回北京來了，你這一向好呀！」話還沒說完，李慕白一腳，立刻將冒寶昆踢倒在地，就像一個球似地滾在一邊。冒寶昆就趁此一滾，他爬起來往南跑了。這裏花槍馮隆握刀向李慕白就扎。李慕白一伸左手，就托住他的腕子，同時右手一拳擂到馮隆的胸上，馮隆痛得一咧嘴，向後緊退幾步。

李慕白把馮隆手中的短刀已奪在手中，就又向鐵棍馮懷說：「你只吃過鐵掌德五爺的打，還沒在我的手裏嘗過滋味，你也過來吧！」

馮懷的武藝本來連馮隆都不如，他這時嚇得哪敢動一動，遂就拱了拱手說：「我不行，連我們老四金刀馮茂都叫你給打了，我還能敢和你李大爺動手嗎？我認輸了！」李慕白進前一步，把馮懷揪住，怒聲說：「你認輸也不行。我問你，你們為什麼架着錢莊的夥計，到德五爺家裏去訛詐，攪鬧得人家宅不安？你們是欺負德家，還是欺負我？」

馮懷嚇得趕緊作揖說：「那不怪我們，那都是黃四爺的主意。我們若不聽他的話，我們在北京連飯也飽不了！現在我們既知道李大爺來了，我們以後絕不再聽他的指使，我們敢對天起誓！」

依着李慕白此時胸中的怒氣，本要將那馮隆一刀刺死，可是又想到德嘯峯和鐵小貝勒的囑咐。因就想：為他這麼一個人打人命官司，實在不大值得。於是將馮懷放手，冷笑着說：「既然你這樣央求我，我就饒了你，一半我也是衝着你們四弟的面子。金刀馮茂是好漢子，他叫我打敗了，他就不再走江湖！」那馮懷被李慕白放了手，他才像逃了活命，趕緊攙着他兄弟馮隆就走了。

這裏那兩個錢莊的夥計都嚇怔了。他們就問旁邊看熱鬧的人這個人是誰。就有認得李慕白的人說：「這是德五爺的好朋友李慕白，去年在北京打了好幾個鏢頭。」那兩個夥計一聽，嚇得全都渾身打戰。心說：「原來這個人就是李慕白呀！我們東家胖盧三，去年不就是因為他才死的嗎？」於是這兩個夥計急忙拔腿就走。李慕白就追過去，說道：「你們回來！」那兩個人見李慕白手中拿着短刀，嚇得他們哪敢邁腿，齊都回身，臉色帶着驚慌，向李慕白說：「李大爺，這不干我們的事，我們是櫃上派下來的！」

李慕白搖頭道：「那不要緊，欠債的還錢，果然若是德家欠你們櫃上的錢，我可以替你們向他家去要！可是你們得把借據兒拿出來給我看。」說時他揪住一個人，喝道：「快把借據給我拿出來！」

那兩個夥計嚇得戰戰兢兢，就由一個人的身邊掏出一張紙來。李慕白放開那人，搶過那張假字據一看，就見上面大略寫的是：「今因彌補虧空，借到寶號庫平銀子拾萬兩整，言明二分利，一年歸還，利錢先扣，恐後無憑，立字為憑。」下面有德嘯峯的假圖章和中人冒寶昆、馮隆畫的押。無論什麼人一看，也知道是假的。

李慕白看了，不禁冷笑，把那張借據給旁邊看熱鬧的人看，說：「請你們諸位看，這是外館黃四爺出的主意，假造憑據，使出他們這些人來訛詐德五爺家。不用說德五爺家道殷實，不能跟他們借銀子；即使借過，難道他們那麼大的錢莊，就能憑這一張字據，這麼幾個土鏢頭作保，就能借出十萬銀子嗎？這簡直是黃驥北欺天蔑法！」說到這裏，李慕白一生氣將這張借據撕得粉碎。旁邊看熱鬧的人有的在笑，有的聽說提到了黃四爺，就嚇得趕緊溜了。

李慕白撕完假借據，扔了短刀，揮手將那兩個錢莊的夥計趕開。過去開發了車錢，氣忿忿地步行回到德嘯峯的家裏。心中又後悔，不應該一賭氣撕毀了他們那張假借據，應該拿着那個找黃驥北去。可是又想：黃驥北那人真狡猾！他雖然叫人假造借據，可是那上面沒有他的名字，找到他，他也是不能認賬。因此心中越發惱恨黃驥北。

這時壽兒早已回來了；李慕白就把自己見着鐵小貝勒，鐵小貝勒所說一定保護德嘯峯生命安全的話和剛才自己打了馮隆、冒寶昆，撕了假借據的事，全都叫壽兒進內院去告訴德大奶奶，以使她放心。自己卻回到外書房裏歇息。

因為心中關心着德嘯峯的官司，惱恨着黃驥北惡毒的行為，李慕白覺得渾身發熱，心中冒火，不但坐立不寧，同時頭也覺得昏暈。不禁自問自冷笑說：「這時候我可別病啊！我若一病了，不但德嘯峯更要苦了，黃驥北也就要無顧忌了。」在屋中來回走了半天，方才一頭躺在炕上，昏沉沉地才睡着，這時忽然福子驚慌慌地跑來，說：「大爺快出去看看吧！門前來了個高身大漢，自稱是四海鏢店的鏢頭。他一定要見李大爺。」

李慕白一聽，立刻心中怒火又起。暗想：一定是那四海鏢店的冒寶昆，被自己打了回去，又把他們鏢店裏的什麼人找來了，要跟我鬥一鬥。於是李慕白挺身而起，由身邊掣出寶劍，冷笑着說：「好，我出去見他！」

當下李慕白手提寶劍，很快地走到門前。只見門前站着一個高身大漢，年約三十餘歲，穿着一件青布大夾襖，身邊並沒帶着兵刃。李慕白覺得此人十分眼熟，正想：是在哪裏見過此人？這時那大漢已向李慕白抱拳，面帶笑容說：「慕白兄，少見，少見！」

李慕白這時才想起，原來此人卻是去年春天在巨鹿俞家門前見過的，那個俞老鏢頭的徒弟五爪鷹孫正禮。當下李慕白趕緊把寶劍給身後的福子，他忙抱拳陪笑說：「原來是孫大哥，請進，請進！」當下李慕白讓孫正禮到他住的那間外書房落座，親自給孫正禮倒茶。就問說：「孫大哥是幾時到北京來的？」

五爪鷹孫正禮就說：「我來到北京還不到一個月。我是由宣化府來的。」接着他大口地喝了一碗茶，就用誠懇的態度，粗壯的聲音，向李慕白詳述他一年來的經過，說：「自從去年春天，在巨鹿我師父的家裏，咱們鬧了一場笑話，後來李兄弟你走了，我師父就誇獎你，說是他老人家走了二十多年的江湖，從沒看過像你這樣武藝高強，性情爽快的人。李兄弟，現在我師父死了我才對你說，他老人家確實跟我歎息過，說是可惜姑娘自幼配給了孟家，要不然，把李慕白招贅了，哪還怕什麼金槍張玉瑾！」

李慕白聽了孫正禮這幾句話，他既慚愧又傷心，便歎了口氣，聽孫正禮再往下說：「後來，聽說張玉瑾要到巨鹿縣找我師父拚命，我師父很發愁。我跟我師妹可不怕張玉瑾，我們就向他老人家說：『你老人家別發愁，張玉瑾來，有我們去擋他。擋不過我們到南宮請慕白兄幫助。』可是他老人家總覺得有你跟我師妹比武求親的那件事，不好再叫你們見面。而且他老人家又恐怕女兒與人爭鬧，倘若出了舛錯，自己對不起那孟家，所以他老人家就帶着老婆兒和閨女走了。

「我知道我師父的為人。我師父並不是就怕了張玉瑾！他老人家雖然不似早先那樣好勝，可是憑張玉瑾那小輩，他老人家還沒怎麼放在眼裏。他老人家就是打算把老婆兒和閨女送到宣化府孟家，然後他老人家再去迎着張玉瑾拚個死活，他老人家的心我知道。可是，自從我師父攜家去後，半年多也沒有音信，後來我才聽人說，原來他老人家是死在望都榆樹鎮了！」

說到這裏，五爪鷹孫正禮不禁揮淚哭他的師父；李慕白在旁也慨然長歎。又聽孫正禮擦着眼淚往下說：「我當時很哭了一場，想要立刻就到望都，看看他老人家的靈柩，並看看我師母、師妹到底到了宣化府了沒有。可是李兄弟你是知道我的，我家中一點產業也沒有，只仗着給人家教拳，一節掙幾兩銀子吃飯，所以我總湊不上盤費。去年冬天，我的教拳的事兒也散了，我想要到北京來找盟兄弟冒寶昆找事，才好容易湊了點錢。借了匹馬，離了巨鹿，先到望都榆樹鎮哭了我師父一場；後來又到宣化府，才知道我師母也去世了；師妹也走了，不知下落。

「當時我非常着急。後來倒是那短金剛劉慶在背地裏對我說：『你不要着急，師妹是到外面尋找孟二少爺去了。』並說在望都葬埋我師父和把我師母、師妹送到宣化，多虧有李兄弟你幫助，所以我跟劉慶對你非常感激。那時就聽說李兄弟你在沙河打敗了賽呂布魏鳳翔，在北京打敗了金刀馮茂和瘦彌陀黃驥北，名氣很大。我就想到北京來，一半找事，一半會會你。

「不料短金剛劉慶他一死兒地留住我，叫我等到年底。他在孟家鏢店把賬結了，他就辭工，然後叫我幫他送師母的靈柩回巨鹿。我當時也覺得這事是義不容辭，就在宣化府住下了。住了不多的日子，忽然那天就去了一個姓史的胖子，名叫爬山蛇史健……。」

李慕白一聽史胖子在去年冬天，也到宣化府去了一趟，他就不禁暗笑。想着：史胖子到底是怎樣的一個人呢，為這些與他不相干的事東走西跑？

孫正禮又說：「史胖子是我師妹俞秀蓮託囑他，特到宣化府來接我師母靈柩的。我們見了史胖子，才知道孟二少爺已死，我師妹在北京殺死了苗振山，她現在已回巨鹿家鄉去了，並知道李兄弟也回到南宮，我這才放了心。史胖子在宣化府住了有一個多月，他因見只是一口靈柩，有我和劉慶我們就可以給運回去了，所以他說還到別處有事，就走了。

「直到今年正月底，劉慶才運送我師母的靈柩南下，並到榆樹鎮起了師父的靈，將他老夫婦一同運回巨鹿祖墳去安葬。同去的並有永祥鏢店的許玉廷和兩個夥計，為的是回來時好到高陽黃土坡，起那孟二少爺的靈運回宣化府。我因見他們去的人並不少，我又急着到北京來找事，所以我就沒跟他們南下。我一個人騎着馬到北京來了，現在由盟兄弟冒寶昆給我在四海鏢店安頓了一個事情，終日也很閑散。

「我本不知道李兄弟你又到北京來了。是因剛才冒寶昆回到鏢店裏，他對我說李慕白來了，現在住在德嘯峯家，剛才在街上把他打了一頓。他叫我來找你給他出氣。我聽了只是笑他，就特來這裏拜訪李兄弟。一來是謝謝李兄弟幫助葬埋我師父，照應我師妹的恩情；二來我是要跟李兄弟打聽打聽，那瘦彌陀黃驥北和這裏的德嘯峯的兩家仇恨，究竟是由何而起？到底是誰曲誰直？」

李慕白聽孫正禮說了這一番話，他曉得俞老鏢頭夫婦的靈柩，已由短命金剛劉慶給送回巨鹿；孟思昭的靈柩亦將由宣化府的鏢頭許玉廷等給運回去。對於死者，他現在是完全放了心。只是孫正禮提到向他道謝的話，李慕白未免心中有些慚愧，而且傷感。又想：「史胖子既然在宣化府見過了孫正禮，那麼自己與俞秀蓮、孟思昭三人之間的那段恨事，孫正禮也未必不曉得，不過他不好意思對自己提説罷了！」如今孫正禮又問到德嘯峯和黃驥北的事，他不由勾起心中怨氣，於是很憤慨地，就把德嘯峯與黃驥北結仇的經過，以及黃驥北的笑面狠心的卑劣行為，都原原本本詳細對孫正禮説了。

不想孫正禮原是性情直爽、好打不平而且急性子的人，聽了李慕白的話，他就氣得面上變了色，跺着腳説：「這還成！北京城這大地方，能叫黃驥北這個東西任意橫行嗎？憑白的就陷害人？不瞞李兄弟説，我來到北京才半個多月，黃驥北那東西就請我吃了三次飯，送我兩次銀子。我知道他這麼拉攏我，是必有用我之處，所以他送給我的銀子，我都沒動用。現在我才知道，原來不但黃驥北那個東西不是人，連我的盟兄弟冒寶昆那小子，也跟着他們欺凌婦女，陷害好人。我這就回去，回去先跟冒寶昆絕交。然後我拿上刀和銀兩，去找黃驥北，把他送給我的銀子扔還他，還要跟他鬥一鬥，替德五爺——我那個慕名的朋友出這口氣！」

說着，孫正禮站起他那高大雄壯的身子，立刻就要走。李慕白就上前一把將他揪住，說：「孫大哥，你先不要急躁，聽我還有話跟你說呢！」孫正禮覺得李慕白揪他這一把，力量很大。他一面看李慕白那削瘦的臉兒，一面又是驚訝又是佩服，心說：到底是李慕白有本事，有力氣，不怪他連直隸省的金刀馮茂也給打了！

當下李慕白又請孫正禮落座。他就說：「現在德嘯峯在獄中，我們無論如何也要多多地忍事。尤其黃驥北，那個心地奸險，最難鬥的人，譬如我李慕白跟德嘯峯是生死之交，我不會找着黃驥北把他殺死，給德嘯峯出氣嗎？而且黃驥北若是死了，也就沒有人再花錢託人陷害德嘯峯了。但是不行！把黃驥北殺了，不但於德嘯峯無益，而且他的案情還許更要加重！」

李慕白才說到這裏，五爪鷹孫正禮就瞪着眼睛反駁他道：「你跟德嘯峯是好朋友，這是誰都知道的，你若殺了黃驥北，自然又得連累了德嘯峯，可是我跟德嘯峯卻素不相識。我想找黃驥北去鬥一鬥，是因為我聽着這件事情太教人生氣。我就是惹了禍也累不了別人！」

李慕白依舊勸慰他說：「我知道，孫大哥你是個俠義漢子。可是你要打算跟黃驥北去鬥一鬥，現在還不是那時候。你跟冒寶昆現在也不要立刻就絕交。」

孫正禮氣得搖頭說：「你不知道，冒寶昆跟我是同鄉，早先我們常在一處，才拜的盟兄弟。可是後來我就知道他常常不做好事，我就不願再見他的面。這回我來北京投他，實在是生計所迫，沒有法子，我並打算由他結識幾位北京城鏢行的朋友。現在我知道他竟壞到這樣，我還認識他這樣的盟兄弟幹什麼？我憑着一口刀，走江湖賣藝也能吃飯呀！」

李慕白略想了一想，就說：「泰興鏢店，那是令師俞老鏢頭當年在北京保鏢之所，現在那裏的老鏢頭劉起雲，與令師還是舊交，我也與他相識。孫大哥得暇可以拜訪拜訪他，再提一提我，我想他一定能約你在他的鏢店作鏢頭，那又比在四海鏢店強得多了。你同冒寶昆也不必提說見了我的事，跟他還暫時敷衍，因為他們現與黃驥北等人不定還懷着什麼心，還想要怎麼坑害德嘯峯的全家。你若能聽些消息來告訴我，我也可以作個準備。

「總之，我此次到北京來營救德嘯峯，到處都是仇人，沒有一個幫手。如今孫大哥你既在這裏，沒有什麼說的，你只好幫助我盡力將德嘯峯營救出來，並把他的家口保住。因為德嘯峯夫婦待秀蓮姑娘也頗有好處，你幫助我，就如同幫助你師妹是一樣！雖然咱們現在並不懼怕黃驥北，他若太逼得咱們沒有路的時候，自然還是要跟他拚命。不過現時還是得忍就忍，只盼德嘯峯的官司結了案，然後我李慕白是有恩的報恩，有仇的報仇！」

說到這裏，李慕白的眼中露出一種殺氣。這時恰巧福子正把他那口寶劍給送到這裏。李慕白接過寶劍就笑了笑，向孫正禮說：「孫大哥，你來找我的時候，門上的人沒說明白，我還以為是冒寶昆請人跟我拚命來了，所以我是提着寶劍出去見你的。現在說是咱們忍氣，可是誰要是找到咱們的頭上，咱們還是不能夠吃虧！」

孫正禮聽了李慕白這些話，他仰着臉細細地想了一番，然後就點頭說：「好吧，我就依着李兄弟，暫時我不惹氣。我走了！」

李慕白把孫正禮送出門首，他才回到屋中。心想：遇見了孫正禮很好，他是個剛強好義的人，一定能夠幫助我。坐了一會，又要躺在牀上歇息。一手觸到了包裹，他忽然想起應該取出那個取錢的摺子，到錢莊取出幾十兩銀子來，以備不時之需，於是動手去打那包裹。可是當他將包裹打開時，忽然由疊着的一件棉衣裳裏，摸着一件很短的很硬的東西，李慕白反倒詫異了。心說：這是什麼東西？於是探手取出一看，原來是個一尺長的油紙包兒。李慕白看了這個東西，立刻心中又是一陣慘痛，發了半天怔。

原來這裏包的正是謝纖娘三載蓄志復仇、在枕中所藏、後來用以自戕的那柄匕首。因為當那去歲寒宵雪夜，纖娘與李慕白因幾句話的誤會，她就在李慕白轉身尚未出門之際，以此刺胸慘死。那時李慕白因恐纖娘的母親謝老媽媽，在她女兒死後，再尋什麼短見，所以李慕白就將這匕首帶回廟中，找了張油紙包好，然後便收藏在一件不常穿的衣裳裏，帶回了家鄉，他也就忘了。這次由家中被史胖子找來，因為起身時匆忙，他竟無意中又將這匕首帶來，如今才發現。當下李慕白想了想自己與謝纖娘當初的癡情，後來的失意，以及最後的悲慘結局，不由悽然感歎了一會。就想過兩天應當打聽出來纖娘的墳墓，看一看去，然後這筆孽債就算完了。

至於這匕首呢？李慕白望着這小小的油紙包兒不住發歎，自己實在不忍再打開看這餘血猶存的匕首。心想：找個地方把它拋了吧！留着這種使人傷心的東西作什麼？當下他就將這油紙包着的匕首放在牀褥底下，找出來取錢的摺子，叫福子出去到錢莊裏取出一百兩銀子。

及至福子取銀回來，李慕白也歇息了一會起來，精神也覺得爽快些了。在將吃晚飯的時候，銀槍將軍邱廣超又派人送來一封信。李慕白拆開看了，就見信上的大意是：「適才出外，承訪未遇，深為悵悵。意欲即刻回拜，無奈傷勢初痛，不能坐車遠行，故此遣价，謹致歉意。嘯峯五哥之事，實為令人憤慨，但弟決可保證彼必無性命之憂。前日弟已派人往延慶去請楊健堂，以便託彼照料德府眷口，如今兄來，弟更放心矣。祈兄代弟向五嫂夫人面叱名問安，以後如有需用之處，請即隨時通知。我等皆嘯峯之至友，同是為朋友，為義氣而奔忙，諒兄必不能以外人待弟也……」等等的話。

李慕白看了，見得邱廣超確實是個好朋友。他與德嘯峯原無深交，而就因此關心，着實可感。當下李慕白趕緊拿着邱廣超的來信到裏院去給德大奶奶看。德大奶奶見邱小侯爺的信上也說是德嘯峯決無性命之憂，她便也放了點心。

李慕白依然回到前面的書房裏。因見今天自己將馮懷、馮隆、冒寶昆等人打走了之後，他們就沒再來吵鬧，自己反倒不放心，所以晚間他恐怕黃驥北再使出那張玉瑾的故技，派了人深夜來此行兇，便不敢脫衣安寢。他穿着一身短衣褲，手提寶劍，一夜之內，他在房上房下，前院後院，巡看了四五次，但是一點驚動也沒有。

李慕白反倒暗自笑了，心想：「德嘯峯在監裏對我說，北京城這些地痞土棍們全都怕我極了，大概也是真的。也許我現在一來，無論什麼人也不敢再來此攪鬧了，不過黃驥北那個人，向來他不常出頭與人作對，專在暗地裏設計害人。他現在曉得我來了，必要想盡了方法來陷害我，我倒是不可不防備。」又想：「現在有鐵小貝勒、邱廣超和五爪鷹孫正禮幫助我，過些日神槍楊健堂必然還要來，我也不算勢孤呀！」差不多到了天色將明的時候，李慕白方才就寢。次日上午也沒有出門，下午到監獄裏又去看德嘯峯。

德嘯峯知道李慕白昨天打了馮懷、馮隆、冒寶昆，撕了那張假借據的事，德嘯峯反倒發愁了。他向李慕白說：「兄弟，你這次為我的事到北京來，本來那黃驥北就像是眼中長疔，肉中生刺。昨天你又幹了那件事，黃驥北他一定更想法對付你，非得把你剪除了他才甘心，兄弟你千萬要謹慎點，並把這件事跟鐵二爺和邱廣超說一說去，以便遇事他們能夠給你擔起來！」

李慕白聽了德嘯峯這話，他心中大謂不然。但是也並不向德嘯峯爭辯，只是點頭說：「大哥不必囑咐，我都知道！」然後又說昨天邱廣超來信，說是他已派人去請神槍楊健堂來京的事。德嘯峯聽了，很是喜歡，他就說：「楊健堂要來到北京，那可真是咱們添了個膀臂。我在監獄裏倒不怎樣需要他，你在外面確實是應當有一個好幫手。」

說到這裏，德嘯峯的面上反倒露出了笑容，他說：「你猜怎麼着？這許多日子那金槍張玉瑾就沒回河南，聽說他是在保定府金刀馮茂的徒弟黑虎陶宏家裏住着了。黃驥北常常派人去給他們送禮，並跟他們商量事情；還聽說他們把那賽呂布魏鳳翔也給找去了。賽呂布魏鳳翔本來是最恨黃驥北的人，當初因為黃驥北請了邱廣超，兩個人與他比武，魏鳳翔才敗了，他一怒棄了鏢行，到居庸關山上來當強盜，專打劫黃驥北往口外做買賣去的車輛。按說他們兩人的仇恨可也不小，不知為什麼，他現在又跑到保定陶宏家裏去了，聽說黃驥北常派人去給他送銀子，兩人倒像又交好起來。江湖人這樣地反覆無常，也真令人可笑！」

李慕白冷笑道：「這還有什麼難明白的！不過因為魏鳳翔也被我刺傷過，他與黃驥北捐棄舊嫌，重新和好，也不過是為要協力來對付我。可是，這些人都是我手下的敗將，他們就是湊在一起，我也不怕他們！」

德嘯峯說：「不是這麼說，無論你怕他們不怕他們，將來那場爭鬧總是免不了的。近來有個給我跑腿的，外號叫小蜈蚣，他說他也認識你。這個人在北京的街面上最熟，什麼事也都能探聽得出來。以後你若見着他，可以給他幾弔錢，叫他給你探一探關於黃驥北的事情。」

李慕白點頭說：「我知道此人，再說我現在已有了幫手，請大哥放心吧！」遂又把昨天五爪鷹孫正禮來找自己的事，向德嘯峯說了。

德嘯峯一聽是俞秀蓮的師兄孫正禮現在這裏，並且也要幫助自己，他心裏也很喜歡。同時又想：倘若俞秀蓮姑娘現在也在北京那才好呢！她可以住在自己家裏，不但可以保護自己的眷口，還可以隨時勸慰自己的母親和妻子。德嘯峯雖然想起這事，可是沒有說出口去，因為他知道，假若一提起俞秀蓮來，李慕白必要變色，而且又皺上眉歎氣。

談了一會，那鐵小貝勒又派得祿來探望德嘯峯。李慕白一見得祿來了，他又不禁想起去年自己在提督衙門的監獄之時，那時差不多得祿也是天天去看自己。暗想：「去年自己為黃驥北、胖盧三所陷，遭的那件官司，後來雖是鐵小貝勒出力將自己救出；但若沒有德嘯峯肯以他的身家性命為我作保，恐怕鐵小貝勒也未必便肯為我這一個沒什麼來歷的人出偌大的力。可是我現在倒成了自由之身，德嘯峯卻又陷在獄裏，身家性命也正在危難之間。」

李慕白想到這裏，不禁悲痛，而且焦急。假若德嘯峯不是旗人，不是做過官的人，不是在北京有眷屬產業，李慕白真想以史胖子的故技，到監獄裏把德嘯峯救出來。當下李慕白在鐵窗外默默地沉思。得祿跟德嘯峯說了一會話，他就向德嘯峯、李慕白請了安就走了。

這裏李慕白與德嘯峯又談了半天，李慕白也走了。他出了刑部監獄門首，忽然想起應當到南半截胡同表叔那裏去一趟，因為表叔是刑部主事，他或者也能對德嘯峯這官司出些力。當下就雇了一輛車，出了順治門，到了南半截胡同。在祁家門前下了車，便上前叩門。少時他表叔的跟班的來升出來，見了李慕白就請安，問說：「李大爺幾時來的呀？」李慕白就說：「我今天才到。你們老爺在家麼？」來升連說：「在家，在家，我們老爺才回來。李大爺你請進吧！」

李慕白隨着來升進去，見了他的表叔、表嬸。先敍了些家中的事情，然後就向他表叔祁殿臣提到了德嘯峯的官司。祁殿臣也彷彿很能擔保地說：「德五那件官司不要緊，絕不會成死罪。一來他不過是嫌疑，說他主謀盜竊宮中之物，那是一點憑據也沒有；二來是有鐵小貝勒和邱小侯爺等人給他託人情；再說德五素日在北京又有點名氣，衙門裏絕不能錯待他。不過就是黃驥北他成心跟德五作對，又有宮裏那個張大總管，也不知他收了黃驥北多少錢，就非要置德五於死地不可。」

說到這裏，李慕白氣得忘了形，在旁不住嘿嘿冷笑。祁殿臣就又說：「現在無論官私兩方面可是全都知道了，都說德五跟黃驥北結仇是因你而起，你可千萬要留神！因為那黃驥北的神通廣大，他連德五那麼闊的人都能夠給陷在獄裏，他要想害你那還不容易？去年你打的那官司，說是胖盧三害的你，其實也有黃驥北在裏頭作祟，我都知道。直到現在各衙門裏的捕役們，還都記得你的名字呢。胖盧三、徐侍郎被人殺了的事，至今還有許多人都說是你幹的。若不是你認得了鐵小貝勒，你在京城一天也待不住。現在你又到京城來了，可千萬別給我惹事！」

李慕白聽了，心中自然是很不痛快，但在表叔面前，他不能說什麼氣憤的話。只得連連答應，並求他表叔在刑部對於德嘯峯的官司要多加照應。祁殿臣說：「不用你託付。我們衙門裏的人誰也不能跟德五故意為難，因為有的人是與德五有交情；有的人是想着別看德五一時倒霉，他總是內務府的人，有好親友，家裏又有錢，即使判了罪，將來也還能夠翻身。」

李慕白一聽他表叔說刑部衙門裏的人對於德嘯峯並無什麼為難之意，他就更放了些心。少時，向表叔、表嬸告辭出門。本想要順便打聽打聽纖娘的墳墓，以便前去弔祭一番，但又不放心德家，恐怕那黃驥北又唆使人去攪鬧，所以就趕緊坐着車回到德家。當日也沒有人去找他，李慕白就在那書房歇息，未再出門。晚間他可依舊警戒着，可是也無事發生。

又到了次日，李慕白在上午到刑部監裏去看德嘯峯。下午就有那小蜈蚣來找他，據小蜈蚣說：「我在茶館裏聽見黃驥北手下的幾個人說，黃驥北聽說李大爺來了，這兩日他就沒有出門。並且因為李大爺在大街上打了馮家兄弟、撕扯了借據，把他真氣得不得了。聽說他現在親自對外人說，他不跟姓德的幹了，他專跟姓李的幹了。他在這裏有馮家兄弟和冒寶昆，還有一個新來的鏢頭五爪鷹孫正禮，並派人到涿州去請劉七太歲，到保定府去請黑虎陶宏和金槍張玉瑾等人，大概半月以內就可全到北京。他天天也在家裏練護手鉤，預備到時跟李大爺拚命！」李慕白聽了，不禁微笑，傲然地點頭說：「很好，我敬候他們！」遂就給了小蜈蚣幾弔錢，叫他走了。

李慕白知道現在黃驥北要想專跟自己鬥，而且請的不過是那一幫人，他自己還天天在家裏練護手鉤，便覺十分好笑。不過又想着：黃驥北為人奸險異常，別是他故意在外面散佈這些話，叫自己專心等着與他們決鬥，其實他卻在暗地裏又要用官司來坑害我吧！因此便覺得自己行動確實應該謹慎些。

當日孫正禮又來訪李慕白，也談說黃驥北現在正派人到外邊去勾請人，專對付李慕白。李慕白依舊是傲然地回答，說是自己一點也不懼怕他們。孫正禮並且很慷慨地說：到時候他願意幫助李慕白與那些人拚個死活。李慕白對於孫正禮自然也很感謝，說是到時必請他相助。孫正禮走後，李慕白也並未出門，德家也沒有什麼事故發生，這一日又算平安度過。

到了次日，李慕白因為對於德家的事放了心，他就想今天應當到纖娘的墳墓上去看一看了。看過之後，便應將纖娘的一切，完全拋去腦後，再也不作無謂的苦惱的回憶了。當下他帶上纖娘自戕時的那支匕首，先坐車到刑部監獄看了德嘯峯，然後坐車出前門到粉房琉璃街。

一進了這條胡同，李慕白的心中便湧起了悲痛的情緒。想起去年來到這裏看纖娘的病，又想起在那天雪夜纖娘自戕之後，自己踏着雪回到廟中的情景，覺得真如同一場噩夢。車到了謝家門首，這時有一個男子正在那門前買油，卻正是那于二。

于二看見一輛車來了，車上又是李慕白，他就趕緊迎過來，叫道：「李大爺，好些日子沒見你，你出外去了吧？幾兒到的北京呀？」李慕白也不下車，只叫車停住，就問說：「纖娘的媽媽還在這裏住嗎？」于二說：「纖娘的媽媽也不在了，是去年年底死的，也是我們給發葬的。就埋在南下窪子義地裏，跟她女兒的墳墓挨着。」

李慕白一聽謝老媽媽也死了，他又不禁歎息了兩聲。然後就問于二說：「你現在有工夫嗎？你可以帶我到纖娘的墳上看看去，我給她燒幾張紙去！」于二連說：「行，行！我一點事也沒有，我帶着你去！」遂就把手裏的油瓶子，交給街坊的一個小孩叫他拿回屋去。他連進去穿長衣也不穿，就跨上了李慕白的車，叫趕車的趕着，一直往南去了。

出了粉房琉璃街，那就是宣南曠地，所謂「南下窪子」即在目前。此時正是三月初旬，桃李花正開，柳條兒也青了，地下野草如茵，墳墓無數，東風吹着塵土，在眼前佈出了一片愁黯景象。李慕白坐在車上就不住歎氣，那于二跟他問那俞姑娘現在的景況和德五爺的官司，李慕白全不答言。少時走到一個彷彿小村落的前面，李慕白叫于二下車到一個小雜貨舖裏，買了幾疊燒紙，然後于二又上車，就叫車偏東走。

少時到了南下窪子，這附近什麼也沒有，只是地下無數的特別低矮殘破的墳墓，並且有的連破棺材板全都露出來。于二跳下車來說：「就是這兒。」李慕白也下了車。他望着這些低矮殘破的墳墓，不住地皺眉，就問于二說：「這裏的一些墳墓，怎樣全都沒有人管呢？」

于二笑了笑說：「誰管呀？這兒說是義地，其實就叫亂葬崗子。在這兒埋的全都是在窰子裏混事的姐兒們。在她們活着的時候，穿綢着緞，擦脂抹粉，金銀隨手來隨手去；熟客這幾天來了，過兩日又走了；陪着人吃酒席，給人家彈唱；還有比翠纖更標致的紅姑娘兒呢！可是一死了，唉，有誰管呢？不過是由着領家兒的買一個四塊板的棺材，雇兩個人抬到這兒，挖個一尺來深的坑兒，埋了也就完了。過些日子，墳頭兒也給風颳平啦，死屍也叫狗給刨出來了，沒親人，沒骨肉，誰還照顧她們那把乾骨頭呢！

「你瞧這些個墳，這頂多也就埋了有二年，以前的那些墳早就平了，要不然人家怎麼說當妓女的是紅顏薄命呢？李大爺，你沒聽人唱過妓女告狀嗎？那不是說：管抬不管埋呀！頭上披着青絲髮，底下露着繡花鞋……」

于二說了這一大片話，他又唱了幾句悲哀宛轉的小調兒給李慕白聽。李慕白的鐵骨俠心抑制不住多情的眼淚，因就不禁悽然淚下。他並不是專哭謝纖娘，他卻是哭普天下聰慧的不幸女子。他自己年近三十未娶，就是想要物色一個聰慧秀麗的女子；然而，他理想中的那些女子，都被人世給摧殘了！黃土給埋沒了！眼淚滴在地下。

李慕白跟隨于二走進墳地，于二就從南邊數起一二三四五六七，他就說：「李大爺，李大爺，快來快來，這就是翠纖的墳！那邊，就是謝老媽媽。」李慕白走近纖娘的墳上一看，只見墳下已生長了短短的青草，還開着一朵「三月蘭」，彷彿這棵三月蘭的野花兒，就是纖娘的幽魂所化生。

李慕白凝神看着這朵野花，腦裏回憶着自己與纖娘結識的經過。由去歲初夏與德嘯峯偕訪俠妓，華燈麗影，從此銷魂；又想到那天在纖娘的牀上嘔吐，和在纖娘的枕中發現匕首，以及雨夜留宿，啼香笑粉，種種柔情，和後來纖娘下嫁徐侍郎，自己深夜去見她，遭受她的冷淡拒絕；更想到最後纖娘臥病，自己探病，纖娘刺傷苗振山，並自戕慘死的事情，從頭至尾地一想。

李慕白這就完全明白了，纖娘始終鍾情着自己。因她恐怕自己也是苗振山的那一流江湖匪人，所以才發生後來的變故。到最後，苗振山死了之後，纖娘才明白自己不是那樣的人。她那病懨懨的身子仍舊餘情未死，還希望自己能憐愛她。可是在那時自己卻因為孟思昭、俞秀蓮的事太傷了心，所以不願再在京中居住，因就說也許此後永不能再與她見面，她才至心灰意冷，再無生趣，才至以匕首自戕身死。

「唉！這些事情到底怨誰呢？不怨她，因為她並非薄弱無情；也不能怨我，因為我對她並非毫無真情實意；只怨命運，只怨事情糾纏錯誤，只怨人世坎坷。彼此都是命苦，彼此都是受人傾害的人，才至彼此反倒不能了解。唉！這都是前生孽債，情海浩劫！」

李慕白一面揮着淚想着，一面叫于二劃開了紙燒着。李慕白望着那火光飛灰，強按住胸中的悲感，然後就探手去摸懷中，摸着了染着冢中人碧血的那隻匕首。李慕白又發了一會怔，他並不取出那隻匕首，他卻取出兩張銀票來，就交給于二說：「去年為纖娘的事，你也很麻煩。那時我就想要謝謝你，可是因為我走的倉猝，就沒有顧得，現在送給你這點錢，算是我替死的人給你道謝了。以後你若有工夫呢，可以到這裏給纖娘的墳上添些土，只要不至叫她的屍骨露出來就得了！」

于二接過了錢，請安道謝，並且笑着說：「李大爺，你放心吧！逢年按節我準到翠纖的墳上來添土，絕不能叫她像『妓女告狀』唱的似的，那麼沒有人管！」他還要往下說，李慕白卻揮手叫他走去，並叫車停在這裏，他就一個人往南走去。

往南走了一里多地，那邊就是一片葦塘；蘆葦初生，像針一樣地一叢一叢的在那汪洋的水面露出。李慕白在塘邊站立了一會兒，看得四下無人，他就由懷中取出那隻匕首來，使出力量來遠遠地一拋。只見遠處濺起了水花，李慕白隨即轉身走去，連頭也不回。走到停車之處，就叫趕車的快走，回東四三條去。

李慕白坐在車上，此時他精神奮起，已無剛才那悽惻悲傷之意。他極力想着營救德嘯峯、對付黃驥北的辦法，以摒除對於纖娘那已盡的情思。趕車的也莫名其妙，這位大爺是怎麼回事？他只聽李慕白的吩咐，就急急地趕着車走。

車進了前門，經過東長安街。正要回東四三條去，李慕白在車上坐着，心裏正痛快着，想着完了，身邊的一切兒女私情全都結束了。現在只有德嘯峯的友情未報，與黃驥北的爭鬥未決，然而那都好辦。正在這時，車將要轉過東四牌樓，忽然聽得車後「嗒嗒」地一陣急快的馬蹄聲，是有人騎馬趕來。並且馬上的人發出嬌細的、清亮的聲音，呼道：「李慕白，李大哥！」

第三十二回　駿馬嬌姿微言感情義　明槍暗箭薄暮起兇謀

李慕白在車上很驚訝，心說：這是誰叫我？剛要叫車停住，回頭去看，車後的馬匹已然趕到了。馬上是一位年輕女子，青帕包頭，渾身青色的緊身衣褲，一雙白布弓鞋蹬着紅銅馬鐙，鞍下掛着雙刀，鞍上帶着簡便的行李包裹；馬上的姑娘是芳頰俊眼，略帶風塵之色，頭上身上包裹上也都浮着一層沙土。原來不是別人，正是巨鹿縣的俞秀蓮姑娘。

李慕白一看，他不禁又驚訝，又慚愧，又傷心。驚訝的是，俞秀蓮姑娘怎麼也到北京來了，看她這個樣子還是才進城；慚愧的是去年冬天，那雪地寒晨，秀蓮姑娘因追趕自己，雪滑馬跌，她竟因羞憤要抽刀與自己決鬥，如今又見了面，她還招呼着自己，未免使自己無顏對她；傷心的是，見秀蓮現在還穿着白鞋，可知她這些日來依舊在故鄉青春獨處，過着淒涼的歲月。

這時俞秀蓮芳頰微紅，也似乎很難為情的樣子。她就一手勒馬，一手提鞭，向李慕白說：「我不知道李大哥來了；我要知道李大哥在此處，我在路上也不至於這麼急。德五哥的官司現在到底怎樣了？」

李慕白這才知道，原來秀蓮姑娘也是在家裏聽見德嘯峯陷獄的事情，才趕到北京來的。心說：「這一定又是史胖子做的事。那日黃昏細雨之下，他到南宮把我找着，後來他又與我分手走了，大概他就是又往巨鹿請俞姑娘去了。俞姑娘現在來到也好，她可以保護德嘯峯的家眷，總比自己要方便得多。不過俞秀蓮是個性情剛烈的女子，她第一次到北京來，就在郊外把吞舟魚苗振山給殺了。這次她又來到北京，一定是聽史胖子說了不少黃驥北陷害德嘯峯的事，她現在一定是懷着滿腔的憤怒而來，以後實在難免她又在北京做出什麼激憤的事情。那時不但不能保護德家，倒許給德家惹禍。」因此李慕白不想與秀蓮多談話，但到此時想要不多談也是不可能了，於是就叫車慢慢地向前走着。

俞秀蓮騎着馬跟着車，李慕白詳細地向秀蓮說了德嘯峯一切事情，然後並囑咐秀蓮千萬要暫時忍耐，不可再惹出什麼事端，並說：「咱們現在心中有什麼氣憤，也應當暫時存在心裏，等着德五哥的官司有了定局，咱們再找黃驥北那些人去出氣！」說話的時候，李慕白就似乎要央求秀蓮姑娘，以為憑秀蓮姑娘那樣剛烈的脾氣，絕不能像自己似的這樣隱忍謹慎以顧全德家，她一定要再說出什麼帶鋒芒的話來。

可是不想秀蓮姑娘，聽了李慕白的這些話，她並不表示激憤難捺，卻勒着馬慢慢地隨着李慕白的車走。她並且微歎一聲，就向李慕白說：「李大哥，我現在不像是早先那種性情了。在去年，我還是個小孩子，那天在雪地裏我因追李大哥，我自己的馬滑倒了，我卻和大哥翻了臉。後來我也很後悔，並且覺得對不起我死去的父親。因為我父親在榆樹鎮將去世時，曾當着李大哥的面囑咐我，叫我以後應當以恩兄對待大哥！」

說到這裏，秀蓮姑娘就在這街前馬上哭了。李慕白也不禁低頭，心中既是傷感，又是慚愧。又聽秀蓮姑娘說：「後來我知道了孟思昭的死信，我就對什麼事全都心灰意冷了，所以我回到家裏就沒有出門。李大哥住在南宮，離着巨鹿很近，我也沒去看望李大哥，並向大哥賠罪，可是我的心裏常常難受。在上月，宣化府的劉慶和幾個鏢頭，才將我父母的靈柩運回巨鹿。因為辦的很省事，也沒有去通知李大哥。

「我原想待守孝三年以後，我再出來，想法報答李大哥對我家的恩情，和德五哥、德五嫂對我的好處。但是，才將我父母安葬之後，不到十幾天，那史胖子就去找我，我才趕到北京。假若李大哥沒在此地，我還或者因為急着救德五哥出獄，做出什麼莽撞的事來。現在既有李大哥來了，那外間的事情就全都不用我管了。我只想住在德宅，保護德老太太、德五嫂和他的少爺們，以後我連門也不出，德五哥的獄裏我也不想去，只求李大哥把我來到北京的事告訴他，叫他放心就得了！」

李慕白聽了秀蓮姑娘這些話，真是又明白，又爽快，並於話中可以聽出，俞秀蓮是十分尊敬自己的，然而自己對秀蓮姑娘又怎樣？當初既已知她許字孟家，既已知道與她的婚娶是不可能的事，並且早已斷絕了希望，可是還那麼情思纏綿，彷彿難忘難捨似的，以致使孟思昭對自己生了疑心。他為自己的事而慘死了，秀蓮姑娘也落得如此淒涼！想到這裏，就覺得俞秀蓮現在可憐的身世，完全是自己給害的似的，因此心中發生無限的慚愧和悔恨；再看秀蓮姑娘執轡策馬，於嬌態之中顯出一種英風，李慕白不禁心中又生出敬慕之意。同時想起去歲夏初，在望都榆樹鎮葬理了俞老鏢頭之後，自己遵從俞老鏢頭的遺囑，護送俞秀蓮和她的母親往宣化府去。那時是她們母女坐在車上，自己騎馬相隨，如今卻又是自己坐在車上，秀蓮姑娘騎馬隨着車走了。今昔恰恰相反。可是一年之內，人事卻變遷得太快了！

又看着秀蓮在馬上那種英氣勃勃的樣子，反襯着自己在車上這種頹唐的樣子，就覺得自己實在不及秀蓮。自己徒然稱了一時的英雄，實在不及秀蓮一女子。譬如剛才自己若是先瞧見秀蓮，自己未必就有膽氣先去招呼她；然而她一看見了我，就急忙趕來，並向自己解釋去年冬天的誤會。可見自己這個闖江湖的英雄，不如一個閨中少女了！因此李慕白便極力地振奮精神，作出爽快的態度，極力拋去以前對俞秀蓮避免嫌疑的那些態度。

談完了這些話，李慕白又說到五爪鷹孫正禮現在北京的事。俞秀蓮一聽，她就十分喜歡，說：「噯呀！我孫師哥也在這兒啦，我可得見一見他去！」李慕白說：「今天大概他還要找我來，姑娘一定能夠見着他。只是那史胖子呢？」

俞秀蓮說：「史胖子那天找了我。恰巧我父親的師姪金鏢郁天傑由河南趕來，專為幫助料理我父母安葬的事。我父母安葬以後，他還沒回河南去。史胖子一去，他們見了面，談起話來，原來他們彼此都有些相識。次日我走的時候，他們還在一起盤桓呢。不過史胖子說他隨後就到北京來。」李慕白點頭說：「他就是來到北京，他也不敢光明正大地進城。」俞秀蓮似乎驚訝地問說：「那是為什麼呢？」

李慕白尚未對俞秀蓮說史胖子的事情，這時車馬就進了東四三條胡同，在德家門首，車馬停住，李慕白下車上前叩門。待了一會兒，裏面把門兒開開了，出來的卻是壽兒。壽兒一瞧見俞秀蓮，他就又驚又喜，趕緊請安說：「俞大姑娘你也來啦，我們大奶奶可想你極了！」秀蓮下馬，便進門順着廊子一直進院去見德大奶奶。這裏壽兒把李慕白的車錢都開發了，並叫出一個男僕來，把秀蓮姑娘騎來的馬匹送到車房裏。雙刀和行李是由壽兒自己給送到裏院的。

李慕白回到書房裏去歇息。此時李慕白的心裏倒是十分痛快，因為對謝纖娘的事現在是完全盡了自己的心，再也不提她想她了；俞秀蓮現又來到德家，德家的事也不必自己再照料了；只有營救德嘯峯，對付黃驥北，那卻是自己目前當務之急。這天孫正禮也沒有來。次日李慕白派福子去請他，孫正禮才來與俞秀蓮姑娘見了面。

李慕白到刑部監裏又見了德嘯峯，說是俞秀蓮姑娘現在也來了，德嘯峯一聽也很是喜歡。因為他想着俞姑娘在他家裏照料，一定比李慕白方便得多，並且還能夠隨時勸慰他的妻子。就是一樣，他怕俞姑娘再惹出什麼事來。不過聽李慕白又說，俞姑娘現在的性情與去年已不同了；她說她只在家裏照料，決不管外面的事。因此德嘯峯放了心，他就託李慕白回家替他向俞姑娘道謝。

當日李慕白出了刑部監獄，又到邱廣超和鐵小貝勒那裏去。凡知道俞秀蓮來到北京的，都囑咐李慕白回去要向俞姑娘勸解，不可叫她因激憤又生些事端。因為德嘯峯的官司現在已快完了，不可再因小故再出什麼枝節。

李慕白回到德家，也並沒到內宅去見俞秀蓮姑娘；可是秀蓮也真如她自己所言，在內宅是與德大奶奶同住在一間屋裏，除了談些閑話，勸慰德大奶奶，和晚間提着雙刀在各處巡查巡查之外，並不再做別事，連街門她也不出，所以李慕白也很放心了。他便整天地出去，為德嘯峯的事情而奔走，並打探黃驥北現在他究竟是要怎樣對付自己。

一連過了半個多月，德嘯峯的官司已然漸漸審斷清楚，聽說不久就要定案了。神槍楊健堂也來到北京，他就住在邱廣超的宅中。只是黃驥北卻一點動靜也沒有，也不見他出門來，也不見他把什麼金槍張玉瑾、黑虎陶宏和劉七太歲等請來與李慕白決鬥。並且馮懷、馮隆、冒寶昆等人，也自吃了李慕白一頓打之後，就都縮在鏢店裏不敢出頭。

李慕白覺得他們既不找自己來，自己也犯不上去找他們。至於自己與黃驥北一年以來結下的仇恨，那將來再為清算。只是五爪鷹孫正禮，他因為幫不了李慕白的忙，跟黃驥北等人打不了架，他就彷彿手腳全都覺得發癢，屢次想要找黃驥北去鬥一鬥，但全被李慕白給攔住。他的心裏的怒憤難捺，便在鏢局裏拿他的盟兄弟冒寶昆撒氣。冒寶昆本來就怕孫正禮，在這時候更是不敢惹他，只得用好話來對付他。

又過了些日子，殘春已去，炎夏又來，正是去年李慕白初到北京飄流落拓之時。李慕白這時的心中本已情思都冷，只有義憤未出。精神倒還不太壞，可是身體日見瘦弱。李慕白自己都有些發愁，他明白，自從去年由提督衙門監獄裏出來，那時就已染了病。後來雖經孟思昭扶侍，疾體暫痛，但是病根未除。其後又加上孟思昭與謝纖娘那兩件使自己痛心的事，因之身體所受的損傷更大，所以直到現在還沒有恢復，更加上德嘯峯的陷獄，與黃驥北的惡計坑人，種種憂慮、焦急、氣忿全都擱在自己的心裏，以致如此。「唉！果若長此下去，我自己恐怕又要病倒在京都，連德嘯峯的官司也照顧不了，與黃驥北之間的仇恨也無法報復了！」所以，李慕白極力調養自己的身體，每天除了到監獄裏看看德嘯峯，到鐵小貝勒府上託託人情，及到表叔那裏打聽消息之外，便不再出門，只在德家休養。

又過了幾天，這日李慕白正在屋裏睡午覺，忽然壽兒進來將他叫醒。壽兒面上帶着驚喜之色，說是：「李大爺的表叔祁大老爺那裏，打發跟班的來了，說是我們老爺的官司判定了。」李慕白一聽，也興奮地坐起身來，連說：「快點把來升叫進來！」

這時來升正在廊子下站着，聽屋裏李慕白叫他進去，他就趕緊到屋裏，向李慕白請安，說：「李大爺，我們老爺才下班兒，就趕緊打發我來了，說是德五爺的官司快定罪了，大概一兩天內公事就能批下來了。」

李慕白趕緊問說：「定的是什麼罪？」來升說：「我們老爺說，全案只有德五爺的罪名判的輕。有兩個太監和一個侍衛全都定的是秋後斬決，楊駿如也定的是絞監候，只有一個姓柏的侍衛和德五爺定的是發往新疆充軍效力」。

李慕白一聽，立刻雙淚落下。想着德嘯峯現在雖已免去了死罪，但是發往新疆這遙遠的路程，窮苦的地方，他哪裏受得了呢？而且妻離子散，尤其使人情難堪！又聽來升似是勸慰着說：「發到新疆受不了什麼苦，尤其是德五爺他是內務府的人。我們老爺說，德五爺若是到了新疆，跟閑住着是一樣。雖然沒有在京裏舒服，可是只要有錢，也受不了什麼苦，頂多了住上一年二年，再在京裏託託人情，也就回來了。」

李慕白點了點頭，又問說：「那麼我表叔他老人家說，定了罪之後，幾時才能離京上道呢？」來升說：「大概也快吧！定了罪之後，一個月就能夠起身。李大爺，你替德五爺放心！夏天走路雖然熱一些，可是也比在監獄裏強得多呢！」

李慕白聽罷，點了點頭，遂給了來升幾弔錢叫他回去。李慕白心裏就暗想：這個消息想是確實的了，可是到底預先告訴德大奶奶不告訴呢？倘若告訴她的丈夫將要遠發新疆，她不知道要傷心成什麼樣子；可是，她若知道她丈夫現在的死罪總算免了，她也一定能夠放心了。想了一想，覺得還是告訴德大奶奶比較好些，於是就進到裏院去見德大奶奶。

此時秀蓮姑娘也在旁邊，李慕白就把剛才自己的表叔派人送信來，說是德五哥的案子快判定了，死罪是一定免了，可是須要發往新疆充軍。然後又說到新疆也受不了什麼苦，並且在路上還比在監獄裏度一夏天要強得多呢！

德大奶奶初聽丈夫將要遠配邊疆，自然也是不禁傷心墮淚。可是後來一想，只要丈夫不至於死罪就好了。雖然發配新疆，可是將來花些錢，再託些人情，也許不到一二年便能贖回來。因此便拭淚說：「這也好，叫他到外面住一二年去，也躲一躲那黃驥北。只是他一發往新疆，家裏更得要受別人的欺負了！」

旁邊的俞秀蓮說：「這件事五嫂子不要發愁，我五哥一日不在家，我就一日不離開這裏；只要有我在這裏，無論什麼人來尋事，我也不怕！」李慕白也勸德大奶奶說：「嫂嫂放心，有俞姑娘在這裏，一定什麼事也不會有。」

說畢，他又到了前院，就叫福子套車，先到刑部監獄，見了德嘯峯，李慕白就說剛才表叔祁主事派人送去的那消息。本想德嘯峯一聽說他自己將要發配新疆，拋家棄子，往那冰天雪地之中，去度罪犯的生活，他一定很是難過，所以李慕白說完了這些話，他的心裏就是非常痛楚。

卻不料德嘯峯聽了，他不但不難過，反倒臉上現出笑容，彷彿十分歡喜。就聽他說：「這可好極啦！藉此機會我可以到新疆去玩一趟。不瞞兄弟你說，我們旗人平日關錢糧吃米，沒有什麼機會可以到外面去玩，而且國法也不准私自離京。所以我們旗人，十個之中倒有九個連北京城門也沒出去過的。我雖然出過幾趟外差，可是也就到過東陵、西陵和熱河承德。譬如去年，你回家去了，其實南宮才離京有多遠，可是我就不能前去看你。現在好了，不是說要把我充發新疆嗎？我覺得再遠一點都好，我可以穿過直隸，走山西，入潼關，過西安府，走伊涼，直到新疆。什麼太原府、黃河、華山、祁連山、萬里長城、玉門關，我都可以路過玩玩，增長些閱歷，交些朋友，有多麼好呀！再說我家裏也沒有什麼不放心的。兄弟，你還不必為我的家庭瑣事耽誤你的前程。有一位俞秀蓮姑娘就夠了，花十萬兩銀子也請不來那麼好的姑娘給護院，這總算我德五人緣好才能夠這樣。兄弟，你現在別為我發愁了，你應該給我道喜。我在新疆住上兩三年，回來咱們再會面時，嘿！兄弟你看那時候有多麼樂！」

說畢，德嘯峯在鐵窗裏不住哈哈大笑。李慕白看他這種笑，還是真笑，不是勉強的笑，自己倒真佩服德嘯峯，覺得他這種暢快、曠達，實為自己所弗如。又談了些話，德嘯峯就催着李慕白快點到邱廣超和鐵小貝勒那裏去，把自己將要發配的事去告訴他們，請他們諸位放心。李慕白遂辭了德嘯峯，走出刑部監獄，依舊坐着福子趕的車，往北溝沿邱廣超的宅中去。

到了邱宅見了邱廣超和楊健堂，李慕白說了德嘯峯案子將要判定，大概他是發往新疆。並且說德嘯峯聽了這消息，他心裏反倒很暢快，一點也不發愁。邱廣超就說：「嘯峯平日就是那麼一個人，什麼事也想得開。他還年輕，家裏又有人照應，出去走一趟也好，只是在路上要多加小心。因為我曉得，黃驥北在外省頗結識了不少江湖盜賊，難免要在嘯峯所經過之地預先埋伏，等到嘯峯經過之時，他們就將嘯峯殺害了。所以淨憑着官差們跟着是不行，咱們這裏得有人隨去保護。」

李慕白一聽，不由怔了一怔。剛要說這自然是我隨着嘯峯去了，可是又想着自己等着嘯峯發配走了之後，還要留在北京，尋那瘦彌陀黃驥北報仇出氣呢！所以略一猶豫，尚未說話，那神槍楊健堂已然在旁發言了。

他慷慨地說道：「我送德五哥到新疆去。現在已到了夏天，我鏢局裏也沒有什麼買賣，有幾個夥計們照應着也就行了。我帶上我那桿槍，跟着德五哥哥走一趟，路上出了什麼事都由我來擋。把他平安送到新疆之後，我再回來，那時至多也就是秋天。」

李慕白一聽神槍楊健堂願意護送德嘯峯到新疆去，自己很放心，便說：「楊三爺若送五哥前去，那路上管保什麼事也沒有。不過就是楊三爺太辛苦些了！」神槍楊健堂搖頭說：「沒有什麼的。廣超他知道，我跟嘯峯的交情也不是一年半年了，這點忙我應當幫他。再說我們以保鏢為生的人，把走遠路兒就沒當作一回事。」邱廣超在旁也說：「健堂陪嘯峯去，那真是最好不過；因為健堂在外面有很多朋友，到處都有點照應。」

當下便商定將來德嘯峯發配新疆之時，是由楊健堂沿路護送。不過李慕白又想，神槍楊健堂雖然武藝高強，在江湖上也頗有名頭，不過只有他一人護送，若遇着大幫的強盜，也難免有點勢孤力弱。所以李慕白又想到孫正禮，就說：「我有一個朋友，名叫五爪鷹孫正禮，是巨鹿縣俞老鏢頭的徒弟，俞秀蓮的師兄。這個人身高力大，武藝也很好，性情更是豪俠爽快。他現在四海鏢店裏，因為他知道那冒寶昆在此做了很多的壞事，他也不願意再在那裏居住。我想將來德五哥出京之時，可以叫他也隨行護送，給楊三爺一個幫手。」

楊健堂點頭說：「很好，鐵翅雕俞老鏢頭的徒弟，武藝是絕不會錯的。一半天李兄弟可以把他請來，我見見他。」

當下三個人又談了半天閑話，李慕白就走了。他坐着福子趕的車，又到了安定門內鐵小貝勒府，見了小虬髯鐵小貝勒。還沒容李慕白說出德嘯峯的事情，那鐵小貝勒就像面帶喜悅之色，說：「慕白知道嘯峯的官司快判定了嗎？」李慕白點頭說：「我知道，聽說他將來是要發配新疆。剛才我到監獄裏去看他，他聽了這個消息，倒像很喜歡的樣子。」

鐵小貝勒也點頭說：「我也願意叫嘯峯出去走一趟。嘯峯若長在北京住着，恐怕還得出事。因為他那個人對於朋友雖然熱心，可是缺少閱歷。譬如說他這件案子裏的很要緊的人楊駿如，那本來是個市儈，就因為常常與德五在一塊兒逛班子，所以兩人也成了好朋友。這回要不是他營救楊駿如，哪能到這步田地！」

李慕白見鐵小貝勒對德嘯峯那樣俠骨熱心人，似是不甚了解，自己未免暗暗地慨歎。又聽鐵小貝勒說：「所以這回叫嘯峯出外闖練闖練，受點苦也好。只是在路上須有一個人護送才好。雖然說無論多麼大膽子的強盜，也絕不敢打劫官差，不過嘯峯近年結下的仇人太多，像金槍張玉瑾什麼的人，倘或在路上打劫，意圖傷害嘯峯的性命，那時嘯峯可非得要吃虧不可！」李慕白就說：「這一層我們也慮到了。剛才在邱廣超家中，我們已然商量好了，到時是由神槍楊健堂跟隨去，並有一個五爪鷹孫正禮，是俞秀蓮姑娘的師兄，他也跟着隨行保護。」

鐵小貝勒一聽就仰着頭想了一會兒，然後說：「神槍楊健堂若隨去沿路保護嘯峯，那自然是很好了。可是，我想還是你跟去，才叫人放心。」李慕白聽了，卻半晌無語。想了一想，才歎氣搖頭地說：「我不能隨我五哥去。其實以他待我的好處，我原應該藉此對他盡些心力，但是我還有別的事情要辦，恐怕到時不能隨他走！」鐵小貝勒聽了，卻微笑着，說：「慕白，我也知道你心裏的打算。你是想要在德嘯峯案子判定，出京走後，你就專力要鬥一鬥黃驥北，跟黃驥北拚個死活，是不是？」

李慕白一聽鐵小貝勒猜透了他的心事，未免有些變色。但是他還不敢就在鐵小貝勒的眼前承認了。遂就勉強笑着，搖頭說：「不是，不是，我為對付黃驥北，何必要費那麼大的事呢？又何必要等着嘯峯走了以後呢？」

鐵小貝勒依然微笑道：「不用說了，我全都知道。你現在處處忍氣吞聲，就是等着德嘯峯的案子定了之後，你再獨自出頭去與黃驥北拚命；黃驥北他現在也是天天在家裏練護手鈎，預備對付你。我也知道，你們兩個人的仇恨是無法解開了。並且黃驥北近年鬧得也太不像樣子，我也願意有你這麼一個人懲戒懲戒他。不過我又細想，你跟他還是合不着。你現在是年輕有為，前程遠大；黃驥北能算是什麼人？不過就仗着他有些錢罷了。所以我勸你還是暫時忍下小事，往遠大之處去着眼。」

李慕白聽了鐵小貝勒這些話，心中十分感動：「鐵小貝勒真愛我至深。其實我李慕白本來是與黃驥北相拚不着；但怎奈黃驥北一天不除去，德嘯峯一天不能安居；而且京城也永久留着這一大害，將來還不知他要陷害多少人呢！雖然這樣想着，但並未說出口去。

他與鐵小貝勒又談了一會閑話，就要起身告辭。鐵小貝勒卻挽留他說：「這次你重來北京，我早就想給你設宴洗塵。只為德嘯峯的官司，你我心緒同是不佳。現在總算好了，嘯峯的事情總算有了定局了。今天我想叫下邊預備點酒，咱們多談一會兒。也不算是宴請你，等到一二年後，嘯峯回到北京時，那時我必要備豐盛的酒筵，咱們幾個人歡聚！」

李慕白見鐵小貝勒這樣地盛意挽留，自己當然不能再急着要走，遂就重又落座。並由鐵小貝勒所說的那句「等到一二年後，嘯峯再回北京時，那時再為歡聚」，李慕白心中就不禁發生無限感慨。暗想：自從我第一次離家外出之後，至今天才不過一年多，但是其間人事紛紜變遷得極快，再過一二年之後，還不定要怎麼樣呢！於是他暗暗地歎了口氣。

鐵小貝勒又同李慕白談了一會兒話。他就叫李慕白在這裏暫坐，他又往內院去了。待了半天，他又帶着一個小廝走了出來。那小廝手中捧着兩口寶劍，全都用紅緞子包裹着。鐵小貝勒就打開包裹，抽出那兩口寶劍給李慕白去看，並說：「這兩口劍是我祖傳之物，全是古代名將佩帶過的。我曾請人鑒賞過，據說這兩口劍在現在世上誠屬難得。比去年我送給你的那口劍，可又強得多了。」說時鐵小貝勒面上滿浮着喜愛的笑容。

李慕白把兩口寶劍細細地觀賞過了，看那深青色的劍鋒，以及劍身金嵌的七星，覺得確實是名物，是無價之寶。同時他低着頭，心中發生一種淒涼的感想：是因為他才聽鐵小貝勒又提到去年贈劍之事，他想起了為那口寶劍才結識的孟思昭。孟思昭才為自己的事慘死，現在那口寶劍，已伴那俠骨情心的孟思昭而長眠了！李慕白想到這裏，面現悲哀之色。鐵小貝勒在旁也看出來了，心裏也明白，李慕白是因自己提到去年贈他的那口寶劍，他又想起孟思昭來了。遂就叫小廝將寶劍送回內院，他便吩咐得祿去傳命擺酒。少時，有三個廚房裏的人來上酒上茶。這小虯髯鐵小貝勒便與李慕白飲酒暢談，由德嘯峯的事又談到李慕白的將來。

鐵小貝勒就說：「慕白，你若是不打算送嘯峯到新疆去，你可以就在我這裏住着。一節我送你二百兩銀子，大概也夠你花的了。我也並不是要叫你給我看家護院，我仍然以賓客待你。只要我們能常在一處，我時常跟你討教些武藝，我就是很高興了。」

李慕白聽鐵小貝勒這話，自己當然很是感激。不過他又說：「二爺待我的深恩盛情，我當然沒齒不忘；德嘯峯往新疆去，也有楊健堂及孫正禮送他，諒不至有什麼舛錯；德宅的眷屬有俞秀蓮保護，我也很是放心。所以我想等到德嘯峯走後，我將要到江南走一趟，訪一訪我的盟伯江南鶴。然後我再回北京來，再在二爺府上常住！」

鐵小貝勒就點頭說：「江南鶴這位老俠客，乃是近數十年來的大江以南惟一無二的英雄。我是久仰其名，只是沒聽說這位老俠曾到北方來過。而且據我想這位老俠年紀過高，此時未必尚在人世。你若往江南去，亦恐見不到這位老俠了。」

李慕白說：「我是在八歲時父母同時因疫病故，江南鶴老俠是先父鳳傑公的盟兄，蒙他將我父母安葬。隨後他老人家即帶我北上，將我交給我的叔父撫養，他老人家就走了。後來先師紀廣傑來南宮招徒授藝，其實也是受他老友江南鶴之託，專是為到南宮將武藝傳授給我。所以生我雖然是父母，但愛護我，栽培我，全仗江南鶴老俠一人。我與他老人家分別後，至今將已二十年；即使現在見了面，恐怕我也不大認識他老人家了。但是我卻常想要往江南去，一來是尋訪我這位盟伯；二來還是要遊覽遊覽江南名勝。」

他口中雖然這樣說着，但心裏卻很悽惻地想：「早先我要往江南去，是愁沒有路費；現在路費雖可由德嘯峯處湊到，但是身邊的殘情難補，恩仇未報，生命都不能預定，江南勝地能否重遊，實在是未可知了！」

此時鐵小貝勒聽完了李慕白的話，他就捻髯凝視，沉思了一會兒，然後點頭說：「也好，你若往江南去走一趟，一定更能增長許多經歷閱歷。等你由江南回來，再在我這裏住着。」說着話，他又向李慕白擎杯勸飲。並不因李慕白謝絕了他的好意，而面上帶着不高興的樣子，使得李慕白倒是十分感愧。

當日，鐵小貝勒談的話極多，酒也飲得不少。李慕白卻因現在身邊有維護德嘯峯，及應付黃驥北之事，所以他不敢多飲。到酒肴半殘，談了一會兒閑話，李慕白方才告辭。

此時屋中已點了燈燭，外面的暮色漸深，餘霞未落。李慕白走出府門，到車前一看，趕車的福子不知往哪裏去了。據旁邊鐵府的人說：「李大爺你那個趕車的，他吃飯去了。」李慕白也笑了笑，暗想：福子在這裏等了半天，我也不出來，他一定餓極了。遂就在車旁站立等候。

等了一會兒，福子才回來。他笑着說：「李大爺你等得着急了吧？我是到東邊小舖裏吃飯去了。」李慕白笑道：「我倒是沒有着急，卻叫你等了我多半天，實在是對不起你！」福子說：「李大爺你這是哪兒的話，我們趕車的還怕等人嗎？早先我們老爺逛班子，時常由這時候等到半夜裏，那我還能夠有什麼怨言？」一面說，一面嘻嘻地笑，把車坐褥鋪平展了，就請李慕白上車。

李慕白一聽福子提到他們老爺逛班子的事，就想起去年夏間，自己由宣化府來到北京，因為謀事未成，困在西河沿的店房裏。有一天晚上，自己出來隨便走走，無意之中就走在柳巷煙花之中，就碰見德嘯峯坐着福子趕的車。由那次起，自己才漸漸與德嘯峯深交，才常往那班子裏去走，才惹出謝纖娘那幕慘劇。想到這裏，坐在車上歎息了兩三聲。

福子嘴裏「唔唔！喝喝！」地趕着車走，地下是坎坷不平，車輪「咕咚咕咚」地響。李慕白在車上又想起鐵小貝勒剛才勸勉自己的那些話，心中是深為感動。但是德嘯峯的友情未報，黃驥北的仇恨難消，實在令自己心中義憤難忍。結果，恐不能不拋去自己那無謂的前途，而與黃驥北以性命相拚了！這時四周的暮色愈深，蝙蝠在車前飛動，街上已有人「噹噹」地打着頭一更的鑼。

車行多時就到了北新橋。剛要向南去轉，就忽聽跨着車轅趕車的福子怪聲地「噯喲」了一聲，說：「這是誰呀！」車立刻停住了。緊接着「叭叭叭」幾枝弩箭，全都射在車圍子上。李慕白立刻氣得在車裏冷笑說：「好啊！到底他黃驥北忍耐不住了！找到我的頭上來了！」遂就一面下了車，一面趕緊抽下車坐褥，並叫福子趕緊躲到車裏去。他就見暮色之中，在道旁站着十幾個人，有的手裏還拿着明晃晃的兵刃。此時弩箭「颼颼」地又射來幾枝，但全都被李慕白用車坐褥擋住。

李慕白這時氣忿極了，雖然手無寸鐵，但他不顧一切，一面舉着坐褥擋着對方的弩箭，一面飛奔了過去。怒喝道：「你們這不是強盜嗎？竟敢在這大街上劫車傷人？是黃驥北指使你們來的不是？」

此時對方就有兩個使花槍的人、三個使單刀的人，還有幾個拿木棍的人，一齊擁上來打李慕白。李慕白一伸手，就把一個使槍的人的槍桿揪住，用力一奪，立刻得槍在手，然後扔下坐褥，雙手抖起來花槍，就前遮後刺，與對方交戰十幾回合。

李慕白用槍刺傷了兩個人，剩下還有十三四個人。他們見勢不好，就彼此喊着說：「快走！快走！」說話時就逃走了幾個。李慕白又追過去扎倒了一個。這時又聽「叭叭叭」幾枝弩箭迎面射來，李慕白才不敢去窮追。旁邊又奔過兩個持刀的，一個拿木棍的人，向李慕白打來。李慕白又將槍抖起，豈容那三個人近前。

李慕白這桿無情的長槍，正要再刺倒兩三個人之時，就忽見遠遠的來了幾匹馬；頭兩匹馬上掛着大燈籠，燈籠上還有幾個紅紙作成的字。那三個人趕緊棄下兵刃，抱頭就跑，口中喊着：

「官人來了，官人來了！」

這時李慕白又怔了，又見那三個人是迎着官人跑去的，李慕白頓然心頭生出一種機智。遂將手中的長槍往遠處扔去，然後他上了車，叫福子快點趕着車走。福子本來腿上就挨了一枝箭，他雖然把這箭拔出去了，可是腿上還刺骨地疼。因為李慕白催着他趕車快走，他也是急於逃命，就趕緊忍着痛，用力揮鞭趕着騾子。他這輛車就轉過了北新橋，像飛似地往正南跑去。眼看快走到東四牌樓三條胡同了，後面的幾匹馬就追趕上來；來的原是九門提督衙門的官人。

李慕白一見官人趕到，他就叫福子把車停住。等着官人騎馬來到車旁時，李慕白就由車中探出身來。只聽官人厲聲問道：「你們跑什麼？剛才那幾個人是叫你拿槍扎傷的不是？」

李慕白卻搖頭說：「我不知道什麼人受了傷。我姓李，叫李慕白，就住在這東四三條德宅。我剛才因為在鐵貝勒府，鐵二爺請我吃酒，所以回來晚了。走在北新橋就見那裏有十幾個人打架，並且有人放弩箭。我的這個趕車的人腿上也受了一弩箭。我因不願惹事，所以趕緊叫車快點走，躲開那一羣打架的人。請你們諸位過來看看，這輛車上放得下一桿槍嗎？你們再到鐵貝勒府去問一問，剛才我去拜見鐵二爺的時候，我帶着什麼槍刀沒有？」

那幾個人本想硬把李慕白帶了衙門裏去。可是因為李慕白抬出鐵小貝勒來一壓他們，他們就彼此相望，不敢貿然下手。又商量了一會兒，就有一個官人將馬靠近了車，並打着燈籠照了照李慕白那從容鎮定的容貌。這官人就冷笑着說：「李慕白，就算你聰明吧！你是個幹什麼的，我們也都知道。現在你就先走吧！反正明天那幾個受傷的人若是死了，我們還得找你。大概你也跑不出北京城去！」

李慕白一聽官人這話，他立刻翻了臉說：「豈有此理！大街上有人羣打架傷了人，你們不去找正兇，卻來麻煩我們這走道兒的人，這像當官差的嗎？好了，我請鐵二爺問問你們提督大人，是這樣交配下來的你們不是？」旁邊就有盛氣的官人說：「呵！你還敢發橫？把他帶走！」卻被另一個官人給攔住。那另一個官人就向李慕白一拂手，說：「你走吧！」李慕白又冷笑了一聲，這才叫福子把車趕回東四三條。

回到德家，李慕白先叫壽兒把刀創藥取出來，給福子療治腿上的傷處。他回到書房裏，壽兒給他點上燈，就問在街上到底是遇見了什麼事？福子叫什麼人在腿上射了一箭？李慕白卻氣得連話也說不出來，就擺了擺手，叫壽兒出屋去。

他獨自坐在椅子上，想着剛才的事，十分氣憤。就想：一定是那黃驥北，他因知德嘯峯的官司有了定局，判的罪名不太重，他無法制德嘯峯於死地；又因有自己現在京都，他的陰謀毒計完全施展不開，所以他想先制自己於死地。「今天一定知道我往鐵小貝勒府裏去了，他才派了那十幾個人，在我回來必經之地的北新橋，攔路害我。在他也曉得他派去的那十幾個人絕不是我的對手，所以他才命人以弩箭暗算我。並且預先買通了官人，到時趕了去，為是他們那些人打不過我時，好將我帶到衙內，押在獄裏。幸虧今天我應付的得法，要不然非叫他們打傷害死不可。就是跟他們到了衙門裏，反正也只有我吃虧！」

他越想越氣，更覺得非報黃驥北的仇恨不可，並且自己也應當為京城鏟除了這個惡霸。當日他氣得一夜也沒睡好覺。次日，他便加緊防備，出門時永遠帶着寶劍。那福子腿上受的那一弩箭，過了半個月多才好。又過了許多日，李慕白的身邊及德嘯峯家中，就再無別的事故發生。

第三十三回 炎天起解摯語囑良朋 驛路飛駒鋼鋒殲眾盜

正值六月中旬的一天，天氣炎熱。忽然得了消息，說是德嘯峯和那個柏侍衞，後天就要起解發往那新疆去了。李慕白聽了，又不自氣忿，暗想：這麼熱的天氣，偏要將官犯起解，這不是故意將被解的人熱死在中途嗎？於是李慕白又去見鐵小貝勒，想要託鐵小貝勒在衙門裏疏通疏通，把德嘯峯起解的日期改在秋天。但是鐵小貝勒對李慕白說：「衙門裏定的起解日期，是不能更改的，除非這時候你叫嘯峯裝病。可是據我想，與其教嘯峯在監裏受那蚊叮蟲咬，悶熱得和在蒸籠裏一般，還不如叫他到外邊去。反正押解的官差他們也都是人，太熱的時候，正午他們也得找涼快的地方歇着。犯官若是在半道兒熱死了，他們也沒有好兒。」

李慕白想了一想，覺着也對。於是辭別鐵小貝勒，又到刑部監裏，打算問問德嘯峯他自己的意見。可是管獄的人就不許德嘯峯見人了。李慕白又趕緊去見他表叔祁主事。祁主事派了個人到監裏去問，派的人回來告訴了祁主事，祁主事這才對李慕白說：「剛才我派人到監裏看了德五，德五他很願想到外邊去。他並囑咐到時無論什麼親友也不要送他，只叫家裏給他預備點錢就是了。」

李慕白一聽，就不住地流淚，趕緊回去向德大奶奶說了。德大奶奶一面揮淚，一面開箱取銀子。李慕白也把德嘯峯給他的那錢摺，由錢莊裏盡數提取出來，共湊足了二千五百兩銀子。李慕白曉得犯官的身邊不能多帶些錢財，而且若帶的錢多了，在路上也容易出事。所以他又趕緊去找邱廣超，由邱廣超託了一個在新疆有聯號的大商家，開了二千兩銀子的匯票。然後李慕白又拿着這匯票和五百兩現銀，到他的表叔那裏，就求他表叔設法將匯票交給德嘯峯。並給德嘯峯三百兩現銀作為路上零用，其餘的二百兩，一百兩是打點隨解的官人，一百兩是作為德家敬送給祁主事的。

祁主事卻擺手說：「你告訴德家，別送給我錢，我不要。我幫德五的忙，全都是衝着你！」李慕白曉得他表叔是嫌銀子太少，遂就趕緊跑回德家，又跟德大奶奶要了一百兩，湊足二百兩送給他表叔祁主事，祁主事方才收了。李慕白回到德家，心裏又很是難過。就想，自己的表叔幫了德嘯峯這一點忙，卻用去人家二百兩銀子，這也是自己難對德家之處。所以想着，非要報答德嘯峯對於自己的恩情不可。

次日，鐵小貝勒派了得祿到德家來見李慕白，說是鐵小貝勒跟刑部裏面的官人說好了，允許德嘯峯可以帶兩個僕人隨行侍候。並送了四百兩銀子，作為德嘯峯的路費。李慕白跟德大奶奶和俞秀蓮一商量，就決定派壽兒跟他老爺到新疆去。壽兒也很願意去。俞秀蓮並打算叫五爪鷹孫正禮也跟去。

李慕白因為曉得孫正禮的性情暴躁，很容易惹事，所以不敢叫他隨在德嘯峯的身邊。便想先到邱廣超家裏，向楊健堂商量去。於是出了德家門，就到邱侯府去見神槍楊健堂。那楊健堂就慨然說自己願意隨德嘯峯往新疆去。並說：「跟着官人一起走，如長槍不便攜帶，我可以帶着單刀隨行。反正路上遇着什麼強人盜匪，我是饒不了他們的。」

邱廣超卻說：「大概路過之處，縱使有強人盜匪，他們也必不能打劫起解的犯人。因為他們也知道，犯人們的身邊決不會有多少錢。只怕的是黃驥北使出什麼強盜來，在路上要謀害嘯峯。」

李慕白聽了邱廣超的話，他倒不由心裏一動。當下決定了，明天是楊健堂隨護前去，李慕白便將鐵小貝勒送給德家的那銀子，給了楊健堂二百兩，以作為路上的費用。然後李慕白又出了邱府，到前門外打磨廠泰興鏢店，見了劉起雲老鏢頭。請劉老鏢頭派人到四海鏢店，把五爪鷹孫正禮找來。

李慕白向孫正禮說：「明天德嘯峯起解往新疆去，現在已有神槍楊健堂隨行保護。但仍恐他身單勢孤，在路上如遇了什麼事，他一個人照顧不過來，所以我想請孫大哥也隨了去。也不必跟官人們接頭見面，只在路上作一個平常做買賣人的樣子，在暗中保護他們，以便遇着事情，好幫助神槍楊健堂。」

五爪鷹孫正禮一聽，他連連答應。李慕白便又送給他二百兩銀子，以作來回的盤纏。孫正禮毫不推辭，他就收下了。那劉起雲老鏢頭並向孫正禮說：「將來你從新疆回來時，就在這裏幫助我吧！不必再在四海鏢店跟冒寶昆那些人在一起廝混了。」孫正禮說：「那是最好了。我幫助你，劉老叔你就是一個錢也不給我，我也是願意幹的。因為這泰興鏢店是我師父俞老鏢頭保鏢的地方，我若能再在這裏保鏢，也算是給我的師父爭光！」

當下，劉起雲留李慕白和孫正禮在鏢店裏用過午飯，李慕白方才回德家去。這日內宅裏的德大奶奶，就給德嘯峯預備隨身的東西及衣服，以便叫壽兒給帶了去，忙了一天。

次日一清早，李慕白就帶着壽兒，到了刑部衙門，在門首等候着。少時，鐵小貝勒派了府中一個侍衛和得祿也來了。那侍衛一直進衙門，去見押解德嘯峯的官人，傳達鐵小貝勒吩咐的話。又等了一會兒，銀槍將軍邱廣超同着神槍楊健堂，也坐車前來。

楊健堂此時身穿灰衣褲褂，頭戴草帽，隨身一隻包裹裏露出刀鞘來。邱廣超揮着扇子，站在衙門前與李慕白談話。衙門裏出來了幾個官人，特意來見邱廣超，向他請安，並請他進去歇息。邱廣超卻搖頭說：「謝謝你們了！我不進去，我在這裏等着我德五哥出來，跟他說幾句話，我就回去了。」

旁邊還有那與德嘯峯同時起解的柏侍衛的幾家親友，就齊都私下談論，哪個是邱小侯爺，哪個是李慕白；並說因為這個李慕白，德嘯峯才與黃驥北結仇。李慕白在旁隱隱聽得別人談論，他的心裏就非常感到悲痛。邱廣超對他說的話，有時他都忘了回答。這時監獄的門前，就擺列了五輛帶棚子的走遠路的騾車，最末後一輛是邱廣超出錢雇的，特為楊健堂和德嘯峯的僕人乘坐。

等了半天，才見鐵府的那個侍衛急急走出來。見了邱廣超先屈腿請安，然後說：「德五爺快出來了！」正說話間，就由衙門的旁門裏，出來了二十幾個官人，少時就把德嘯峯同那個柏侍衛押出來了。德嘯峯身穿便衣，雖在監獄多日，衣履還很乾淨；面色略顯着黃瘦，但是精神卻十分飽滿；拖着輕輕的鎖鏈，邁着方步，滿面的笑色。一出門，就向邱廣超和那鐵府的侍衛作揖，說：「多謝，多謝！諸位關心兄弟就得了，大熱的天，何必還親自來送我！」

邱廣超趕緊上前，把自己安排的事都對德嘯峯說了；並勸德嘯峯在路上要多加珍重，到了新疆也要寬心自慰，這裏的朋友是必想辦法，至多二年，必能叫德五哥回來。說着，又將自己手中的一柄檀香骨子的摺扇和帶來的兩匣痧藥，奉送給德嘯峯。德嘯峯拜謝收了，交給壽兒拿着。然後又向那鐵府的侍衛說：「這位仁兄請回吧！煩勞代稟鐵二爺，就說等我由新疆回來時，再報他的大恩吧！」

旁邊的李慕白看了這種情景，不禁感動得落下淚來；但是德嘯峯依舊談笑自若，然後他又向楊健堂抱拳，說：「三哥，累你陪着我跑這麼一趟，我真心裏不安。可是咱們兄弟，我也就不必說什麼啦！」楊健堂本來是拙於辭令，當下他只慨然說：「五哥你放心吧，在路上出什麼事都有我啦！」

德嘯峯說：「路上也不至於有什麼事。這算我生平頭一次出遠門，所以我也很放心。家裏我更放心！」說到這裏，他才轉頭向李慕白很懇切地說：「兄弟，哥哥也不再跟你說別的話啦！就是我盼你保重身體，無論什麼事，都應當像哥哥似的，往寬裏想，往永久將來想。我走後，頂好你也緊跟着就離開北京，千萬別在此多留。你嫂子、你姪子和你的老太太，那都有俞秀蓮姑娘照應，我都十分放心。就是你，千萬要聽我的話，快離開此地為是！一兩年後我回來時，我再叫人去請你。」說完了，他更無別話，就上了第三輛車。

柏侍衛坐第二輛，跨車轅都坐的是官人，第一輛車和第四輛車也都是官人，楊健堂和壽兒坐最末的一輛車。德嘯峯在此車上，還探出頭來向邱廣超、李慕白等人拱手，笑着說：「諸位請回。再會！再會！」說時，五輛車一排走着往南去了。

邱廣超和鐵府侍衛及得祿等人，各自回府。只有李慕白，他含着兩眼熱淚，步行着緊跟隨那五輛車出了彰儀門。這就是去年德嘯峯親送李慕白出京的那個地方。去年德嘯峯送李慕白時，是風寒天冷，大雪飄飄；今天李慕白送德嘯峯，卻是槐柳成蔭，田禾無際，中午的驕陽如火一般的炙人。李慕白一面擦着汗，一面拭着淚，在道旁太陽下站了半天。看着押解德嘯峯的那五輛車走遠了，他這才轉身往回走。

還沒有進城，就見一匹棗色的馬馳來。馬上的人身高體大，頭戴一頂大草帽，身穿青布大褂，像是一個做買賣的人，鞍下卻掛着一口帶鞘的鋼刀，正是那五爪鷹孫正禮。孫正禮見了李慕白，他就在馬上笑了笑，並沒說什麼。李慕白就說：「前面的車才走了不遠，孫大哥，你不必緊跟着他們，只要不離着太遠就是了！」孫正禮在馬上點點頭，他就策着馬走過去了。

這裏李慕白卻連頭也不回，就一直進了城。回到家裏，先去見德大奶奶和俞秀蓮，把剛才德嘯峯被解出京時的詳細情形都說了。德大奶奶聽了很是傷心，她不住地流淚，俞秀蓮姑娘就在旁勸着她。李慕白遂回到外院書房裏，他就坐在椅子上暗暗地盤算主意，同時睜着眼看那掛在牆上的寶劍。此時他心中的悲痛已然減少，他只有一個打算，就是等着再過兩三天，索性叫德嘯峯離遠了北京；那時他就要下手去結果了那瘦彌陀黃驥北的性命，以使將來德嘯峯回京之後，得以安居，並為京都除此一害。至於自己的生命，即使是為殺了黃驥北而受刑法，那也是不必顧慮的。

主意都已定妥，只待自己的寶劍去濡那惡人的鮮血；但是竟然又發生了變故。是在當日黃昏時，那跑小腿探消息的小蜈蚣，又到德家來找李慕白。見了李慕白，他略說了幾句話。當時李慕白連長衣也沒穿，只帶上一口寶劍，就跟着小蜈蚣走了。走到崇文門迤東的角樓下。那地方名叫泡子河，是一片曠地，連一個人家也沒有，真比鄉下還要荒涼。這時本來天氣很熱，可是這城根下曠地間卻有點涼風。天色還不算太黑暗，模糊地還能看得見人。來到城根下，就見有一個不很高的可是粗壯的影子迎面走來。

李慕白也迎過去，就說：「史胖子，你又到北京來有什麼事？」對面的正是爬山蛇史胖子，他那山西腔兒又吹進了李慕白的耳鼓。他先笑了笑說：「我早就到北京來了，要想幫助你們，只是插不上手！」李慕白說：「事情已然完了，德嘯峯今早已經走了，還用你幫助幹什麼？」

史胖子又哈哈地笑了笑，說道：「事情哪裏就這麼容易完了！你們和瘦黃四的仇恨，就能夠這麼容易解開嗎？那可敢情好了。現在我先問你李大爺，你跟德五爺，你們的交情最厚，為什麼這次他發往新疆去，你倒不跟着他去呢？」

李慕白說：「有神槍楊健堂跟隨他去了，何必還用我？我還要在這裏照應他的家眷。」

史胖子搖頭說：「李大爺，你這個朋友可真不容易交，到了現在你還是不對我說實話。我知道，我知道，現在有延慶的神槍楊健堂，假作是德家用的僕人，他跟着德五爺走了。不單是他，還有個姓孫的呢，也暗中跟下保護去了！」

李慕白一聽，不勝驚訝。心說，史胖子的耳風倒真快，他怎麼全都知道了？一定是小蜈蚣告訴他的吧？當然不禁也笑了笑。又聽史胖子接着往下說：「不但德五爺在路上有人保護，就是德五爺的家裏，我知道也用不着你。現在那位孟二少奶奶俞秀蓮姑娘不是在德宅住着了嗎？有她，還怕豹子能跳進牆去嗎？」

李慕白見史胖子稱呼俞秀蓮為孟二少奶奶，不由驀然想起孟思昭來，心中又是一陣傷感。

那史胖子依舊往下說道：「我也知道你李大爺的打算。你是故意留在北京，等德五爺走後，你再獨自出頭，去向瘦彌陀黃驥北鬥一鬥。好李大爺，你是英雄，我佩服你！可是現在還有事呢！黃驥北早就勾結好了金槍張玉瑾、黑虎陶宏、賽呂布魏鳳翔，還有我認識的那個涿州的劉七太歲，這些人都是受了黃驥北許多銀兩。他們都商量好了，沿路撒下探子，專等着押解德嘯峯的車輛經過保定之時，他們就將車截住，殺害德嘯峯的性命。

「現在只有黑虎陶宏，第一因為他去年被俞秀蓮姑娘砍傷，傷勢還沒有大好；第二因為有他師父金刀馮茂囑咐，不許他作這給江湖人丟臉的事情，大概到時他還許不至於出頭。可是張玉瑾、魏鳳翔那些人，恐怕楊健堂跟孫正禮二人，就對付不了他們吧！」

李慕白聽了史胖子這些話，他立刻點頭說：「既然這樣，我得趕緊跟上他們。今天已快關城門了，大概走不了啦，只好明天一早我再走！」史胖子說：「好啦，明天一早你就去吧！你騎着馬一定能夠跟上他們，等着把張玉瑾那夥人打回去，叫德嘯峯的車平安的過了保定，那就沒事啦！然後咱們再回來，我幫助你鏟除那黃驥北。」李慕白說：「謝謝你，但我不用你幫助！」

史胖子笑了笑說：「好，你既不叫我幫助，那麼我就歇一會兒。」李慕白又問他現在住在什麼地方？史胖子卻笑着說：「我沒有準地方住。反正我在這北京城裏是個黑人，天黑了才能夠出來。」李慕白也不再問，就拱手說：「我要回去了，再會吧！」史胖子也拱手說：「再會，再會！」

當下李慕白頂着深深的暮色，步行回到德家。先到內院去見德大奶奶和俞秀蓮，就說自己明天要起身到一趟保定，見一個朋友，再託他照應德嘯峯，大約至多四五天就可以回來了。德大奶奶雖然不好意思攔阻李慕白，恐怕他走了之後，家裏又出什麼事故，所以面上帶出為難之色。倒是旁邊的俞秀蓮姑娘，他看出李慕白的情狀有些急憤，而且他所要去的又是那陶宏、張玉瑾所橫行的地方保定，就知道李慕白一定是要尋他們決鬥去。於是俞秀蓮姑娘就彷彿鼓勵李慕白似的，她就慨然說：「李大哥若有急事，就請走吧，這裏的事你放心，有我一個人就全行了！」

李慕白這才點頭說：「那麼，姑娘就多分心吧！」俞秀蓮也並不說什麼，只答應了一聲。李慕白便走出內院，回到屋裏。想着黃驥北更施毒計，勾結張玉瑾、魏鳳翔那些人意圖攔路殺德嘯峯之事，就更是氣忿。恨不得立刻催馬就趕到保定，不等張玉瑾他們下手，就先結果了他們的性命，以使德嘯峯平安走過。一夜他也沒得好好睡覺。

到了次日，一清早就起來，一面叫福子去備馬；一面囑咐僕人說：「我走後，家中諸事都要謹慎，外面如有什麼事，要都請示俞姑娘。」囑咐畢，他就拿上寶劍和大草帽，出門上馬走了。這時東方的陽光漸高，雖有微微的晨風，但是天氣依然熱。李慕白頭上戴着大草帽，身穿黃繭綢褲褂，頭上身上覺得汗出涔涔。

走出彰儀門，李慕白就放轡快走。走出約十幾里地，忽見前面道旁橋下，拴着一匹黑馬；有一個大胖子，穿着黑暑涼綢的短褲，敞胸露懷，正在那裏扇着烏金面子的摺扇乘涼。李慕白一看，就知道是史胖子。心說：「這個人也真怪，他為什麼這樣不辭辛苦地給我們幫忙呢？」因此便一面笑着，一面催馬走到史胖子的臨近。就說：「我料想你今天一定在這裏等着我了。好，你上馬吧！陪着我到一趟保定。」

史胖子笑着說：「今天你李大爺這話還算痛快。其實到時我也許幫不上手，不過大熱的天，我給你作個伴兒，也省得你煩惱。」李慕白慘笑了笑，說：「我現在倒是沒有什麼煩惱了！」

當下史胖子把扇子插在他那寬寬硬硬的腰帶上，就由馬鞍下摘下大草帽來，戴在頭上。遂解下馬來騎上，便與李慕白雙馬併行，在這炎夏的大道之上，直往正南走去。爬山蛇史健卻因身體肥胖，走了不多遠，他身上汗出如雨，把暑涼綢的小褂脫下來，光着肥胖紫黑的脊背，騎着馬走；但他一點也不肯歇息。走到中午，才在一座鎮市上找了一家小茶館，二人用飯。

因為天氣熱，李慕白沒吃了多少。可是史胖子依舊吃了三斤多大餅，半斤多驢肉。

吃完了，李慕白見史胖子直打呵欠，便想叫他睡一個覺再往下走。並說：「反正德五爺他們的車輛，至多也就比咱們多走六七十里地。咱們的馬又快，今天趕不上他們，明天還趕不上他們嗎？不必忙。」但是史胖子卻像不服氣似的，用涼水洗了臉，非要立刻就往下去走不可。於是兩匹黑馬，又在這暑熱的天氣下，如飛似的向前走去。當日晚間就追趕上了五爪鷹孫正禮。

李慕白給孫正禮向史胖子引見了，然後問他德嘯峯的車輛在前面有多遠。孫正禮就說：「在前面不過四五里地，一放馬就能夠趕上了。」李慕白說：「不必趕了。咱們還是分着走，以免被那些官人看見了，他們要生疑。」當下分頭投店。李慕白和史胖子在一起；那孫正禮依然是商人不像商人，鏢客不像鏢客的，一個人單住在店房裏。

次日清晨，先後起身。走了不多路，就在一條空曠的大道上，向前望見了那押解德嘯峯的五輛騾車。此時李慕白與史胖子反倒勒住了馬，看到前面的五輛車又走出了二里多地，他們才慢慢地再往前走。又走了一天，次日就來到涿州地面。

史胖子就向李慕白說：「咱們也分着走罷！因為這涿州有一個劉七太歲，他是我的朋友。向來我由此路過時，必要在他那裏住幾天。他也對我很好。可是去年，他因與秀蓮姑娘爭鬥，被俞秀蓮砍傷了，所以他最恨俞秀蓮。現在他又因聽了黃驥北的話，把德嘯峯和你李大爺也給嫉恨上了，所以他這次也幫助張玉瑾。果然他此時若是往保定去了，那還好；他若是還在家裏，看見我跟着你一路同行，那你李大爺倒不要緊，我可就非要遭他們的殺害不可！他手下的人多，耳目眾，他本人也刀法精通，我可惹不起他！」

李慕白一聽史胖子這樣怕那劉七太歲就不由冷笑，點頭說：「那麼咱們就暫時分手，你慢慢地走，我先在前邊走了！」說着，李慕白就拋下史胖子，他縱馬向前走去。少時，又眼看得追上了押解德嘯峯的車輛，他又收住了馬慢走。但既已知這涿州地面有一個也受了黃驥北的收買，正要劫害德嘯峯的劉七太歲，他就不敢離着前面車輛太遠了，並且時時的四下觀望，看有什麼形跡可疑的人沒有。可是走了一天，竟平安地走過了涿州，一點事也沒有發生。

當日晚間，李慕白在高碑店找了客店歇下。那史胖子就趕來了。他並帶來了消息，說是劉七太歲現在已往保定去了，聽說這回黑虎陶宏不但不幫他們，連他手下的人也不派一個，因此他與金槍張玉瑾幾乎爭打起來。這全都是因為聽了他師父金刀馮茂的話。

李慕白一聽此話，便對於金刀馮茂不勝欽佩，暗想：「這才不愧是江湖好漢！去年他在北京被我打敗了，他不但不與我結仇，反倒從此絕跡江湖。如今還攔阻他的徒弟與德嘯峯做對。將來只要是我李慕白不死，我必要與他交交朋友！」

當日在高碑店歇息了一夜，次日依舊與史胖子往前去走。又走了兩天，走過了定興，來到徐水縣境，眼看着要到保定了。於是李慕白的精神更為振奮，兩匹馬更不敢離遠了前面的車輛。這股道路又是非常迂曲，因為天氣太熱，也沒有多少行人往來。地下的土是又鬆又乾，一被馬蹄踢起，就像起了煙霧似的。兩邊的田禾全都呆板板地立在那裏，像是僵死了一般，史胖子說：「今年的年成不好呀！再過幾天不下雨，麥子可就都完了！」李慕白卻似沒有聽見似的，眼睛直直地往前面瞧去。

又往下走了五六里，忽然見西面一股岔路上起了一片煙塵。少時，「嘚嘚」地一陣馬蹄響聲，就由那岔路跑來四匹馬，馬上的人全都身穿短汗褂，頭戴大草帽。他們先停住了馬四下張望，然後就一齊撥馬往南走去。他們一邊走着，一邊還不住地回頭觀望。大概他們也是看見後面的李慕白和史胖子這兩匹馬了。

李慕白此時已看見那四個人的馬鞍下都掛着兵器，且有兩個是帶着長兵器的。李慕白就看出來，其中一個人十分眼熟，似乎是曾在沙河城被自己打敗過的那個賽呂布魏鳳翔。當下他就要由鞍下抽劍，過去與他們廝殺。

忽然，史胖子勒住了馬，向李慕白說：「先別往前走！」他滿面驚慌之色，又向前指着說：

「快看！那個穿黑褲褂的就是金槍張玉瑾。那三個人我可不認得。噯呀！他們大概瞧見咱們了！」

李慕白冷笑着說：「現在冤家路窄，遇見他們，正好乘勢把他們剪除了，也省得驚動德五爺。老史，你怎麼反倒怕起來了！」

說時，李慕白就催馬飛馳過去，一面大喊着說：「前面的人，趕快給我站住！」一面由鞍下抽劍。此時前面那四匹馬也全都站住了，他們彼此交談了幾句話。大概是那魏鳳翔告訴張玉瑾說，後面追來的這個人就是李慕白。於是他們四個人全都跳下馬去，各由鞍下抽出兵刃。

那張玉瑾提金槍，在大道當中一站，向魏鳳翔等人說：「你們都退後，讓我一個人與這李慕白較量較量，看看他到底有多大本領！」魏鳳翔也挺着他那桿畫戟，氣忿忿地說：「我今天非要報仇不可！」

這時李慕白的馬匹已然來到臨近，只見他在馬上翻身一跳，就下了馬。把寶劍一揮，緊步走上來，先用劍指着魏鳳翔說：「你是我手下的敗將，先不要過來送死。我先問問你們，哪一個是張玉瑾？」金槍張玉瑾一抖槍說：「我就是金槍張大太爺，你是李慕白嗎？」

李慕白拍了拍胸脯，把寶劍一舉，說：「不錯，我就是李慕白，聽說去年你被黃驥北雇得曾到了北京一趟，那時恰值我有要緊的事情，出都去了，未能跟你見面分個高低。可是你就在外面揚言，說是我李慕白怕了你們，不敢見你們。那時我雖然氣忿，可是因為我另有旁的事，就無暇與你們這羣小輩去計較。現在聽說你們又受了黃驥北的唆使，要來沿途陷害德五爺，這真是小人的行為！我才趕來尋你們。不過我李慕白向來寬宏大量，你我又無多大的仇恨，你們若能趕緊悔改，不再與德五爺為難，我也可以放你們逃命。否則，我現在的性情可又與去年不同了，動起手來，我難免要殺害你們的性命！」

李慕白說了這些話，本是想着自己的仇人，只有一個黃驥北。像張玉瑾這些人，並無多大深仇，很不必傷害他們的性命。但是張玉瑾卻氣得跺腳，他說：「我能叫你饒我的性命？張大太爺在河南開着鏢店，我都不回去，我就是為等着你來咱們較量較量。若沒有你，我早就殺了那俞老雕，替我的岳父把仇報了！俞秀蓮、德嘯峯他們欺侮黃四爺，殺了我的舅父，砍傷了我的朋友劉七爺、陶大爺，他們還都不是仗着你的威風？今天，咱們既遇着了，不是你死，就是我死。來吧！你姓李的別再逞能了！」說時，抖槍向李慕白的咽喉就刺，卻被李慕白用劍磕開。

李慕白閃身抽劍，反向張玉瑾的前胸刺去。張玉瑾趕緊又退後兩步，掄槍再刺李慕白，卻被李慕白伸手將他那桿金槍揪住。旁邊賽呂布魏鳳翔也持戟上前。

李慕白一手握着張玉瑾的金槍，一手揮劍，將魏鳳翔的畫戟磕開，斜着連進兩步，掄劍向魏鳳翔去砍。這時張玉瑾雙手奪槍，急得亂跺腳；李慕白卻握得很緊，他休想奪出去了。旁邊的那兩個人全都是魏鳳翔的朋友，也一齊掄刀上前與李慕白厮殺。但是才一上手，就被李慕白用劍劈倒了一個。李慕白便將張玉瑾的槍放了手，反撲過魏鳳翔，打算先把他砍倒了，然後再專鬥張玉瑾。

魏鳳翔這時也拚出死命，把他那一枝畫戟向李慕白亂抖亂刺。但李慕白勢極兇猛，一劍磕開魏鳳翔的畫戟，飛身上前，寶劍揮起；那賽呂布魏鳳翔招架不及，當時右臂遭了李慕白一劍。他就慘叫一聲，立時撒手扔戟，摔倒在地，翻了一個身就死了。

此時張玉瑾掄槍狠狠向李慕白的後背刺去，李慕白趕緊回身，橫劍將張玉瑾的金槍架起。他又逼近兩步，擺劍向張玉瑾的前胸刺去。張玉瑾趕緊拽槍退身，緩了一口氣，再抖槍去刺李慕白。兩人又交手三四回合，李慕白的劍光擾得張玉瑾眼亂，李慕白身手的敏捷，使張玉瑾照顧不過來。張玉瑾就趕緊急喊：「你先住手，我有話說！」但是此時李慕白的寶劍已向他的前胸刺去。

只見張玉瑾的金槍向上一舉，啊地叫了一聲，李慕白的劍鋒就插入張玉瑾的左脅。張玉瑾將金槍撒手，雙手掩着脅部仰身摔在地上，鮮血湧出，不住的慘叫慘滾。李慕白的寶劍舉起，本想再刺他一劍，結果了他的性命。但是轉又一想彼此並無深仇，何必非要殺死他不可！於是把持劍的那隻手放下。

這時旁邊剩下的那個魏鳳翔的朋友，就扔下了刀，向李慕白跪下了，求李慕白饒他的性命。李慕白擺手說：「你起來！我不殺你。連殺傷他們我都非得已，我並非是那些兇狠之徒。咳！這些話我也不必和你說。不過你要記住了，人是我李慕白殺傷的。無論官方私方若是不依，都可以在十天內到北京找我去，與旁人是毫不相干！」那個人連連磕頭答應。

李慕白將要收劍上馬，忽見那史胖子又由前面騎馬跑來。他向李慕白喊叫說：「李大爺你快去吧！南面現在也打起來了，是那劉七太歲！」李慕白一聽，也不暇細問，立刻飛身上馬，又往南馳去。走了不到四五里路，就見前面那押解德嘯峯的五輛官車全都停住了。神槍楊健堂和五爪鷹孫正禮，各掄鋼刀與十幾個人廝殺起來。

李慕白一面催馬，一面揚劍大喊。馬來到臨近，李慕白又飛身下去。他一上手，就砍倒了對方的兩個人。對方的劉七太歲光着膀子，正與五爪鷹孫正禮拚鬥。楊健堂卻因要保護德嘯峯的車輛，只能在車旁抵擋劉七手下的幾個人，卻不能過去幫助孫正禮，所以孫正禮與劉七太歲廝殺，未免有些吃力。及至李慕白趕了來，孫正禮就更抖起了精神，一刀逼近一刀，去砍那劉七太歲。李慕白卻喊着：「你快閃開！」說時搶上前去，持劍向劉七太歲就刺，那劉七太歲一閃身，背上就被孫正禮砍了一刀，摔在地下。孫正禮又亂殺了一陣，砍傷了幾個人，經李慕白攔住，孫正禮方才住了手。

這時，那十幾個強盜受傷的受傷，跑的跑。劉七太歲背上被砍去一塊肉，已然暈死過去。孫正禮要再砍他兩刀，卻被李慕白把孫正禮手中的刀奪了過去，硬插在他鞍下的鞘內。向他拂手說：「你先在前邊走吧！」孫正禮知道李慕白還是不叫他露出保護德嘯峯的樣子來，他就笑了一笑，上了馬，一面擦着身上的汗，一面高興地往前走了。這時德嘯峯已下了車，那些官人也都過來向李慕白道謝。

李慕白見這些官人，全都沒有什麼驚慌的神色，他就明白了。想着此次劉七太歲、張玉瑾等人打劫官車，意圖殺害德嘯峯，這些官人一定全都預先知道，連他們也許是被黃驥北收買好了的。遂就滿面怒容，冷笑着向眾官人說：「你們諸位放心往下走吧！準保沒有什麼事了。連那金槍張玉瑾和魏鳳翔，全都被我殺死了！」遂又拍了拍胸脯說：「現在我李慕白已然走到這個地步，我就什麼也不怕了。你們諸位可要小心一點，無論什麼人若是敢怠慢德五爺，我的寶劍是決不容情！」他這話一說出，嚇得那些個官人全都面如土色，齊都陪笑說：「我們絕不敢怠慢德五爺，李大爺請放心吧！」

這時德嘯峯就過來，叫聲：「兄弟，你怎麼也來了，你不是要回家去嗎？」李慕白微微搖了搖頭，望着德嘯峯那親切的面容，他悲痛得流下淚來。一面收了寶劍，牽馬上鞍，一面向德嘯峯抱拳說：「哥哥珍重，我走了！」又向神槍楊健堂也拱了拱手。他就撥轉馬頭，順着來時的道路往北走去。

一面走着，一面還不住回首向德嘯峯這裏來望，及至看見幾輛官車慢慢向前走了，他才放心往北而去。此時卻不曉得那史胖子騎着馬又跑往哪裏去了。李慕白也顧不得去找他，只是冒着暑熱，流着汗水，懷着一顆義憤的心，連夜往北走去，決定回到北京去鏟除那瘦彌陀黃驥北，以為京城除此巨憝，而使將來德嘯峯回京之後，得以安居。至於自己在殺死黃驥北之後，是生是死，則在所不計了。

連行了兩天多，這天在將近黃昏時候，就來到了京畿琉璃河地面。此時滿天的雲霞，在旁人的眼中是如同碎錦一般，但在李慕白看去如似一塊一塊的鮮血。他策馬行在空曠的原野上，只見碧綠的田禾一望無邊，經夏日的晚風吹動着，沙沙地響，像是水鳴，又像是劍嘯。附近沒有村落，看不見一縷炊煙，也看不見一個行人。李慕白就這樣孤獨地往下又走了一二里地，雖然天色晚了，卻因急於趕回京城，所以不想找鎮店投宿。

正在走着，就忽聽身後「嘚嘚」的一陣馬蹄響聲，李慕白趕緊回身去望，只見遠處有一匹馬飛也似的趕來。李慕白心中十分驚訝，暗想：莫非是那史胖子他又找了我來？於是勒馬回頭去望。那匹馬漸漸來到了臨近，藉着天際的雲光霞影，李慕白方才看出，原來來的是一匹白馬。馬上是一個高身材的鬚髮皆白的老者，並不是那騎黑馬的史胖子。李慕白便不甚介意，依舊回過頭來往前去走。

不想才走了十幾步，後面那騎白馬的人已然趕上，只聽得「叭」的一聲，李慕白背後就挨了一皮鞭。那老者哈哈地大笑，搖着皮鞭，催馬越過了李慕白的馬頭，就像一股白煙似的飛馳而去。李慕白的背後被皮鞭抽的雖不十分疼痛，但是這個氣卻也忍受不了，遂就催馬向前去追。口中並高聲叫道：「前面的老頭子，你站住！我問你為什麼用鞭子打我！」追了不遠，那老者的白馬就沒有了蹤影；只見暮色深深，餘霞紛落。

李慕白驚訝地勒住馬，回想剛才隱隱看見那位老者容貌，覺得頗有些眼熟。想了半天才想起來，暗道：「哦！剛才這老者的面貌，頗有些像俞秀蓮已故的父親俞老鏢頭，大概這也是一位江湖上的老俠客。我雖不認識他，但他卻知道我。所以在此偶然相遇，他才這樣的戲耍我。他卻並未以十分的力量用鞭抽我，可見他對我也並沒什麼惡意。我現在還要趕回京城去辦要緊的事，又何必要追他的馬匹，與一位老人惹氣呢？」因此便不再去追，也不再介意此事。他策馬順着往京城去的大道，緊緊地走。

又走了有一天多的路程，就回到了北京。進了城，他不回德家，也不去見鐵小貝勒和邱廣超，卻在安定門關箱找了一家小店住下。對店家只說他姓陳，是從張家口來的。歇息了一會，他就將寶劍抽出鞘來，用一件長衣裳包裹着。身上只穿着青布短衣褲，也未戴草帽，就挾着寶劍，懷着一顆火燒着似的焦急義憤的心，直入城中，來尋仇人黃驥北。

第三十四回　小院死奸徒銷仇盡義　鐵窗來奇俠匿劍驚釵

李慕白走進了安定門，這時不過午後五時左右，太陽還很高，炎威一點也不減。李慕白挾着寶劍走進城裏，向人打聽了一下，就找到北新橋那瘦彌陀黃驥北的門前。只見門庭很大，上面用磚雕刻着很精細的花樣，一對包着銅葉子的大黑門緊緊的閉着，門前一個人也沒有。李慕白心想：黃驥北這個人真是機警，他早防備下了！因為知道黃驥北的手下，有不少人全都認識自己，所以不敢在此停留，就趕緊走開。找了個僻靜的胡同，在一棵槐樹下歇息了半天。

這時已過了吃晚飯的時候，樹上的蟬聲已停止了嘶叫，天際的晚風也微微吹起。各家各戶的老太太、小孩子和大姑娘們，全都吃過了晚飯在門前來乘涼。老太太們是彼此談着家常瑣事；小孩們是亂跑亂鬧；擦胭抹粉的大姑娘們是在門前俏立，用手帕掩着口笑着，彼此談話；又有幾個年輕的無賴子弟，披着小汗褂，盤着大鬆辮，擺擺搖搖地走着，嘴裏唱着淫詞浪曲，眼睛向大姑娘們身上飛去。

李慕白一個落拓無聊樣子的人，拿着個長包裹捲兒，在這樹下坐着，實在惹人注目。而且到此時他的腹中也有些飢餓了，遂就站起身來，彈了彈衣褲，拿着寶劍走出了胡同，進了一家切麵舖，就叫麵舖的夥計煮了兩碗過水的切麵，用芝麻醬拌了，就着兩條黃瓜慢慢地吃。吃完了，天色就已薄暮，又是那黃驥北使人坑害李慕白的時候。今天李慕白卻滿懷着兇心殺氣，要在今夜非殺死那黃驥北不可！

在大街小巷繞了幾彎兒，不知不覺走到一家小茶館的門前。茶館門前搭着涼棚，點着油燈，圍着許多人，都在那裏聽評書。說評書的人披着一件夏布小褂，手持一柄摺扇，就將那柄摺扇比做刀槍架式。說的是《水滸傳》，正是「林沖雪夜上梁山」那個節目。

李慕白在旁找了個凳子，夥計給他倒了一蓋碗茶。李慕白將寶劍立在桌角，他就一邊喝茶，一邊聽書，借以消磨時間。聽到林沖為高衙內及陸虞侯所害，流配充軍，他極端隱忍，但是仇人還非要陷害他的性命不可，以致林沖殺死陸虞侯，上了梁山之時，不禁勾引起自己腦中無限的感慨。就想：「我去年到北京來，原是為找個差事謀生。後來謀事未成，困在北京，蒙德嘯峯接濟我，寬慰我，但那是我們私人的友情，並不是他要藉着我欺凌誰，也不是我要仗着他，在京城胡作非為。就是我與馮隆、馮茂比武爭鬥，那也是他們找的我，並非我去惹的他們，與黃驥北又有何干？

「可是，黃驥北竟認為我在北京壓了他們的名頭，他親自到法明寺與我比武，被我打了一拳。他輸了，但他還假意和我交好，其實他卻是蓄意要陷害我。後來他與胖盧三共商陰謀以強盜的罪名將我誣陷獄中，若不是德嘯峯肯以他的身家性命為我作保，鐵小貝勒仗義救我，此時恐怕我早已冤屈死了！後來，黃驥北又打算謀害德嘯峯，但也未能得手，他才把那金槍張玉瑾和呑舟魚苗振山請來北京，想要藉着那兩個人的力量來害德嘯峯和我。

「恰巧那時孟思昭為我在高陽受了重傷，我離京走了。德嘯峯雖然有楊健堂和邱廣超幫助，但也不是他們的對手。幸虧有俞秀蓮住在德家，將苗振山殺死，他們才勢力大減。後來我雖由高陽返回京都，只去住了一天。次日因纖娘慘死的事情我又走了。我既不在北京，德嘯峯也在家斂跡，不再惹事，本來事情已完了，仇恨也可以釋去了；卻不料黃驥北他仍然想盡了方法，運用他的毒計，將德嘯峯陷在獄內。但他仍不甘心，還必要害死德嘯峯的性命！

「德嘯峯此次發配新疆本來已是十分的冤屈痛苦了，可是他還要使出張玉瑾那般強盜，要在半路上殺害德嘯峯；並且，那天晚間他派人在北新橋攔住我的車，用弩箭射我。他的手段是多麼毒辣呀！這樣的惡人，我若不把他剪除了，不要說德嘯峯將來回京不能安居，就是這北京城，將來要受他害的人還不知要有多少！即使水滸上的林沖，他若處了我這地步，他也必是無法再忍了！」

一想到這裏他就怒氣填胸，哪裏還能聽得下書去？他立刻付下茶資書錢，提着那包裹着的寶劍，急急走去。衝着黑沉沉的夜色，渾身的血液急速地流着，兩腿像被什麼催動着似的，很快的走着。穿過幾條曲折的小巷，又到了黃驥北的住家門首，就見那兩扇大門依然緊緊的關閉着，不但門前一點聲息沒有，就是牆裏也十分沉寂，彷彿像座古冢一般。

李慕白本想要越牆進內，找到黃驥北住的房屋，亮出劍來將他殺死。但是這時街頭的更鑼才交兩下，這北新橋還有稀稀的往來人口，李慕白恐怕下手早了，反倒打草驚蛇，使黃驥北逃匿起來。所以他一點也不敢莽撞，便又離開了黃驥北的家門，走進了一條小巷。穿過小巷一直地走，不知不覺地就走到了安定門的東城根。這裏連住戶都很稀少了，城垣巍巍，野草叢樹被晚風吹得亂動，像是在黑暗中出現的鬼魂。

李慕白走到了城根下，把寶劍放在一旁，坐在地下，仰面看着天空無數閃爍的繁星，心裏卻發生比這些繁星還要多的感想：「真是世路坎坷，人情鬼魆。我李慕白當初在家鄉攻書學劍之時，哪裏想得到人間還有這許多的事情。現在自己雖未三十歲，但世事都嘗受盡了，不但身體恐怕一時不易恢復，即生活也覺得懶倦了。實在，即使自己現在忽然揚名顯身，得意起來；但無法忘了那因我而死的義友孟思昭與俠妓謝翠纖，而且始終難將秀蓮姑娘救出那淒涼的環境。自己內心既已損傷了，表面上榮華又有什麼興趣？何況以我這個性情，還未必就能夠得意呢！所以倒不如殺死黃驥北，了結仇恨，自己也隨之一死倒好！」

默默地想了半天，覺得時候差不多了。遂就站起身來，又穿過那條小巷，走到黃驥北的門首。李慕白見這時街上一個行人也沒有，並且連更聲和犬吠全都聽不見。李慕白到了牆根下，解開那包着寶劍的衣裳，亮出來青鋒；就將長衣裳繫在腰間，將寶劍插在背後，一聳身上了牆。由牆上又跳進院內，就慢慢地找到了正院，順着廊子往裏院去走。可是還沒有進了裏院，就忽聽有幾聲犬吠，李慕白趕緊盤着廊柱，上了房；只見三四條狗都由裏院跑出來，汪汪地亂吠。

李慕白心中更是氣憤，暗想：「黃驥北倒真有本事，不但張玉瑾那些人真替他賣命，連狗也替他看家。可是我李慕白就不能跳下房去，明目張膽地闖進他的內院把他殺死嗎？」自己剛想這樣去做，忽然見一陣犬吠之後，各屋裏不但還是那麼黑洞洞的沒有燭光，並且連一點動靜也沒有。李慕白忽然想起：「我把黃驥北估量得太小了。他既知德嘯峯走後，我決饒不了他，他豈能還呆在家中等死？狡兔尚有三窟，黃驥北他在旁處就再沒有住的地方了嗎？看這樣子，他大概是沒在家中住着。我若跳下房去，結果尋不着黃驥北，再傷了別人，那時反倒使他更要加緊防備了。」

當下李慕白就慢慢由房後跳下，越過牆去，又順着小巷走到安定門城根，就在城根躺下睡了一個覺。及至睜眼醒來，只見星斗稀稀，東方已現出魚肚白色，李慕白的身上已被露水濕透了。便站起身來，想着黃驥北的狡猾，使自己不容易下手復仇，實在是心裏急躁。又想：現在還是不要急，先設法探聽探聽，他是在家住，還是在外面住；只要知道了他的確實住處，那就好辦了。於是又把寶劍用長衣裳包好，在城根下來回地走了走。露水濕了的衣服經曉風一吹，就漸漸地乾了。此時東方已微露出曙光，就有起早的人，提着鳥兒籠子到城根來閑走。

李慕白又經過那條小巷到了黃驥北的家門附近，遠遠看着那兩扇大門還沒有開。此時在東邊兩箭之遠，有一個賣豆漿的擔子。李慕白就走過去買豆腐漿喝，同時兩眼卻注視那黃驥北的家門。喝完一碗豆腐漿，再喝第二碗。

這時候就見由西邊來了一個穿着青洋縐大褂，青紗坎肩，頭戴涼紗小帽，小廝模樣的人，來到黃家叩門。李慕白認得這人就是黃驥北隨身的那個小廝，心中十分驚訝，暗道：這是永遠跟隨黃驥北的那個小廝，為什麼他家的大門尚未開，他就從外面回來了呢？更可見黃驥北一定是住在外面了。幸虧昨夜我沒有鹵莽行事！

於是他喝完了第二碗漿，便提着那個包裹着的寶劍，靠着黃家對面的牆，匆匆向西走去。走到很遠之處，站在一棵柳樹後，往黃家這邊來看。此時那個小廝已進了黃家。又待了一會，那小廝才出來，手裏拿着一個長約二尺的東西，彷彿是一桿煙槍，用布包着。小廝一出來，那兩扇大黑門隨着緊緊地閉上。那小廝東西張望了一下，他就拿着那個包裹裏的東西往西去了。

李慕白見那小廝沒有坐車，就曉得黃驥北住的地方一定距此不遠。等小廝走過之後，李慕白就也挾着那包裹着的寶劍，遠遠地跟着他，並且低着頭走。那小廝雖然也回頭望了幾次，可是他並沒有看見李慕白是在後面跟着他了。走過了北新橋，一直往西，進了路南的一條胡同。李慕白的步下就快些了，跟着進了胡同。往南走了不遠，就見那個小廝又轉彎進了一條窄小的胡同，到了路北的一個小門前去叩門。

李慕白看準了那個門首，他反倒退身回去，在小巷外站了一會，就向一個手裏提着煙袋的老者和藹地問說：「請問老叔！這條小胡同路北的小門，可是張家嗎？」那老者怔了一怔，就搖頭說：「那是黃家，不姓張。你找誰吧？」李慕白一聽那老者說那家小門裏住的是姓黃的，心裏很高興；趕緊笑了笑，說：「大概就是那家，他是北新橋黃四爺家用的人。」

那老者點頭說：「這就對了。他本來姓什麼連我也不知道，不過他是黃四爺的常隨，名叫順子，人家管他叫黃順。他是新搬來的，那小房子是黃四爺給他買的，媳婦也是黃四爺給他娶的。」李慕白一聽，完全對了，便謝過老者。心裏就想着：黃驥北你也有今日的呀！無論你怎樣狡猾，到底難逃出我的手中！

當下李慕白一進了小巷，就將寶劍亮出，走到那路北的小門前，去叩門環。李慕白因為心中急憤，所以把門叩得很急。少時才聽得裏面有人問說：「你找誰？」李慕白急中生智說：「你開門吧，我是四海鏢店的冒寶昆，有要緊的事要見黃四爺！」

裏面的人半天也沒有說話，似乎是進門裏請示去了。又待了一會，才聽門裏是另換了一個人的聲音，說道：「這裏沒有什麼黃四爺，你大概是找錯門了，你到別處再問去吧！」說着，「咕咚」一聲，彷彿又加上了一塊頂門的石頭。

這時李慕白在門外氣得渾身全都亂抖；明知仇人黃驥北一定是藏在這個門裏了，可是他們不把門開開，自己也無法下手殲此惡賊呀！抬眼看了看，這所小房子的院牆很矮，牆頭上雖砌着許多鐵釘子、尖玻璃，但那並不能阻止李慕白進去。這條小胡同十分僻靜，統共不過三五戶人家。因為天色尚早，家家都沒有開門。所以此時這條小胡同裏，除了提劍叩門的李慕白之外，就再沒有別人。李慕白一時急憤難忍，不顧一切，就「颼」地一聲，躥上了牆頭，一跳就跳到這窩藏黃驥北的小院子裏。

此時，順子和一個高身量的黃臉大漢，還在那裏搬石頭頂門。一見李慕白跳進牆來，嚇得那兩個人全都喊叫了一聲。那黃臉大漢就是給黃驥北家護院的那個坐地虎侯梁，當下他把放在地下的一口鋼刀揀起，奔過來向李慕白就砍。李慕白磕開他的刀，翻手一劍，就將侯梁砍倒在地。然後李慕白往二門裏就闖。

此時北屋裏就出來一個雲髻不整，胭粉凋殘，像是才起牀的妖豔少婦，她把門用手攔住，說：「嗳喲！你是幹什麼的呀！拿着寶劍闖進人家來，你沒有王法啦！快出去！要不然我可就喊官人啦！」李慕白挺劍直奔那婦人，喝道：「快躲開！叫黃驥北出來見我！」他的寶劍向婦人一揮，婦人立刻嚇得「嗳唷」了一聲，跑進屋裏，又去關那屋門。李慕白就上前一腳將屋門踹開。

這時屋裏的瘦彌陀黃驥北知道藏不住了，他就由桌上抄起一對護手鈎，急慌慌地向李慕白說：「李慕白，你先在院中等我，我這就出去。屋裏有女人。」李慕白點頭說：「好，我還怕你逃走嗎？」遂退了兩步，在院中挺劍站立。這時黃驥北身穿藍綢衣短褲，手提雙鈎，出了屋子。他那瘦臉上已嚇得慘無人色，但還強作着笑容說道：「李兄弟，咱們兩人素日有交情呀！去年你在監獄裏時，我還去看過你呢。現在你怎麼聽了德老五的教唆，竟找我拚命來了？」

李慕白一聽他提到去年自己在監獄時，黃驥北假意去探望自己，並給自己與德嘯峯離間交情的事，就不由更是氣憤，冷笑道：「黃驥北，你何必還說這些廢話？你幾次陷害我，幾次陷害德嘯峯，難道你還不知道我都已明白了嗎？你何必還向我套這些假交情呢？今天告訴你吧，說什麼也不行，我李慕白非要殺了你這笑面狼心的人，為德嘯峯報仇，為北京除一大害不可！」說時掄劍奔將過去，向黃驥北就砍。

黃驥北趕緊用鈎架住劍，說：「李兄弟你再聽我說幾句話……你若是肯跟我再交好，我送你五萬兩銀子！」李慕白瞪眼道：「誰要你那些臭銀兩！」說時抽回劍來，又向黃驥北去刺。黃驥北也急得只好以性命相拚，雙鈎展開，去戰李慕白。

在這小院裏單劍雙鈎，往返四五回合。黃驥北雖然武藝也不太壞，近兩月來也天天練習護手鈎，但哪裏抵得住李慕白的兇猛的寶劍；所以他一面招架，一面向後退，並且急得大喊道：「官人！官人！這裏殺了人啦……」

喊聲未畢，李慕白就逼近了黃驥北，一劍直捌到黃驥北的前胸。黃驥北慘號一聲，雙手扔鈎，鮮血直湧，身子向後倒下。李慕白用寶劍捌着他，直將他捌得躺在地下，看他的手腳亂動了幾下，瘦臉上眼閉口張，李慕白才拔出劍來。深深地出了一口氣，心裏覺得痛快極了。便走到外院。只見那坐地虎侯梁，坐在地下，雙手撫着傷處不住地呻吟。那個順子卻向李慕白叩頭，哭着說：「求李大爺饒命！」李慕白擺手說：「不要怕，我不能隨便殺人。現在殺了黃驥北，我也是給他抵命的。我到衙門自首去！」

李慕白從容不迫地把門開開，他提劍出去，就直到官廳上見官人去自首投案。別的話全都不說，只說自己名叫李慕白，因為與黃驥北素有仇恨，才在那順子的家中將黃驥北殺死，現在自己情願打官司。那官人們本來認得李慕白，都知道李慕白是黃驥北的對頭。如今李慕白來自首，說是他把黃驥北給殺死了。這還了得！嚇得幾個官人各個面上變色。先用話安慰了李慕白幾句，並給李慕白帶上鎖。就一面將李慕白押在提督衙門，一面派人去到出兇事的地點去查看。

當下官人們忙個不休。同時，這個驚人的消息也就傳遍了北京城。差不多誰都知道了，外館的瘦彌陀黃四爺，今天早晨在剪子巷裏他的小廝順子的家中，被李慕白給用劍殺死了；並聽說李慕白他殺完了人，並沒逃走，他到提督衙門打官司去了！本來黃驥北平日時常花些小錢，作點假好事，所以也有些人覺得黃四爺死得太慘，李慕白應當給黃四爺償命。可是那些曾受過黃驥北的坑害，曉得黃驥北是笑面狼心的人，莫不拍掌稱快，都說李慕白是個好漢子，現在為京城除去了這個惡霸。

消息傳到銀槍將軍邱廣超的耳裏，邱廣超也不禁慨歎。想起自己與黃驥北原是多年的好友，只因為黃驥北依仗財勢，要想剪除了李慕白，不使鐵掌德嘯峯在北京與他爭名頭，所以他才不擇手段，使盡了惡毒的方法，以至兩家結怨日深，才至有今日這樣的悲慘結局。雖然自己因被苗振山用鏢打傷，與黃驥北絕了交，但如今聽他慘死，也未免心裏悲痛。又想李慕白現在已自首投案了，如果他那樣一位武藝超羣，重肝膽的好漢定了死罪，也實在可惜！於是邱廣超就趕緊坐車去到鐵府，見鐵小貝勒，以便商量營救李慕白的辦法。

此時鐵小貝勒也聽說這件事了。他滿面愁黯之色，一見了邱廣超，他就歎息着說：「我早就知道他們有今天這事。黃驥北對付德嘯峯和李慕白的手段也太毒了！屢次三番地要想害德嘯峯跟李慕白的性命。德嘯峯還能忍受，但李慕白他豈能受這個氣？我早就看出來李慕白是安心等着德嘯峯的官司有了結局之後，他就要去收拾黃驥北。所以這次德嘯峯起解出都，李慕白卻不隨去，他就是安着這個心了！」又說：「你看他殺死黃驥北之後，就提劍投案自首，這不是也怕連累了德家嗎？所以他才自己做事自己當！」

邱廣超聽了，也不勝感歎，就說：「我雖早先與黃驥北是好友，但這次黃驥北的慘死，我以為他是自找。不過，李慕白如果他受了官刑，確實可惜。二爺還是設法營救他才是！」鐵小貝勒歎道：「這次我怕不能營救他了。而且我想李慕白此時必不願有人營救他，他大概是要以一死來酬謝他的朋友德嘯峯了！」說到這裏，鐵小貝勒感到德嘯峯與李慕白這樣的生死至交實在難得，不禁流了幾點眼淚，就說：「我先叫得祿給看看去吧，然後咱們慢慢地再想辦法！」

當下二人又談說了一會，邱廣超就辭了鐵小貝勒走了。然後鐵小貝勒又派得祿到提督衙門監裏去看李慕白。去年李慕白被胖盧三和黃驥北所陷，押在這裏之時，得祿就常來看他，所以得祿跟這裏的管獄官吏全都熟識了。得祿也想不到如今他又到這裏來瞧這位李大爺。

此時李慕白才過完了堂，在堂上他是直認因仇殺死黃驥北不諱，與旁人全無關係。供完了，便被押在監裏。因為管獄的官吏曉得這個李慕白與鐵小貝勒相識，去年押在這裏就是被鐵小貝勒營救出去的，所以這回他們還是不敢對他苛待，又給找出一間乾燥一點的獄房，將李慕白收下。

李慕白坐在地下的破蓆頭上，回憶今天早晨殺死黃驥北時的那種痛快，痛快得他要發出狂笑來。這時，得祿就在鐵窗外叫他李大爺，說是：「我們二爺打發我看你來了！」李慕白卻站起身來，走到鐵窗前。他面帶感激之色，就微微笑着說：「你回去上覆二爺，就說我謝謝他了！並求他放心我，不要再為我的事而操心着急了！我這次入獄是與去年不同。去年我是被黃驥北等人所害，被屈含冤，而且他們給我揑造的罪名是江湖大盜；這回卻不是了，這回是我自己願意入的獄。我殺死黃驥北我應當投案入獄，將來我為黃驥北抵命論死，那我毫無怨尤，因為這是朝廷的王法，我罪有應得。即使鐵二爺他再施恩救我出獄，我也要辜負他的好意，決不出這獄門！得祿兄，你上覆鐵二爺吧！就說我李慕白來世再報他的大恩吧！」

說到這裏，李慕白感念鐵小貝勒的恩義，不禁又揮了幾點眼淚！得祿也在鐵窗外直擦眼睛，他就問李慕白在獄裏還要什麼東西不要。李慕白卻連連搖頭說：「我什麼也用不着。得祿兄，以後你也不用再來看我了！」得祿見李慕白在監裏這一種慷慨剛烈的態度，他也不敢用什麼話去勸。遂託付了獄官獄卒一番，他就回鐵府稟告鐵小貝勒去了。

次日得祿又到這裏來，恰值邱廣超派一個僕人提着食盒也來看李慕白。據管獄官吏說：「昨天李慕白水米未進，只在地下的蓆上坐着。」得祿和邱廣超派來的那個僕人，扒着鐵窗向裏面連喚了十幾聲李大爺，但李慕白背身坐在地下蓆上，兩手扶着膝蓋，一聲也不語，彷彿他沒有聽見，又彷彿死了一般。鐵窗外的得祿和那邱府的僕人，全都着了半天的急。沒有法子，只好各自回府去覆稟鐵小貝勒和邱廣超，就是李慕白在獄中不理他們了。其實此時的李慕白，知道鐵小貝勒和邱廣超對於自己如此的厚情，他感激得已不知流了多少眼淚。現在李慕白已決意拒絕飲食，要將自己這副鋼筋鐵骨，俠膽柔腸，餓死在監獄裏。

這時天氣極熱，獄中蟲蟻極多，加上腹飢口渴，心灰意冷，到了第三天李慕白自己覺得有一種死的力量來壓住他，呼吸都有些低微了。但是心裏仍然明白，眼睛還能看得清獄中的鐵窗和地下的破蓆。心裏便不禁傲笑着，暗想：我李慕白也許真是一個英雄，不然為什麼連死都不敢來制服我？瞪着眼睛四下看了半天，便閉上眼睛昏昏就睡。

不知睡了多少時候，忽然被一個人的巨手將他推醒。李慕白十分驚訝，睜眼一看，只見獄中沉沉夜，蚊蟲圍着他的臉亂唱，鐵窗上透進幾線月光來。用手推李慕白的這個人，蹲在李慕白的腳前。李慕白還未容此人說話，就知道來者一定是史胖子，遂就笑了笑，說：「老史，你怎麼又來了？這回我還要辜負你的美意。你快走吧，咱們這個朋友下世再交！」史胖子很粗地歎了口氣，說：「不是我一個人來的。」說時監獄的鐵門又微微啟開一道縫，又有一個人進到獄裏。

當這個人從那鐵窗透過來的幾線月光之處經過之時，李慕白看見這個影子是娉婷婀娜，姍姍走近。李慕白大驚，扶着史胖子的肩膀勉強站起身來。他驚恐着發出低微的聲音，說：「俞姑娘，這是什麼地方，你也來了！快走吧！快走吧！我是決不出去的！」此時史胖子已立起身來，仍在一聲一聲地歎氣。

秀蓮姑娘走到李慕白的近前，李慕白雖看不清秀蓮姑娘的容貌，但卻聽得出秀蓮的嗚咽哭泣的聲音。只聽她低聲悲泣地說：「李大哥，你快跟我們走吧！你這樣的年輕，武藝高強的人，難道就甘心死在獄中麼？……」李慕白卻短促地歎了口氣，兩行最後的眼淚流下，又覺得秀蓮的纖手握着了自己的胳臂。

史胖子蹲下身去給他卸腳鐐。李慕白卻退了一步，脊背碰在石壁上，頭覺得一暈，身子往下摔倒。秀蓮姑娘趕緊用手將李慕白的身子托住，並低聲哭着說：「李大哥！你叫史大哥背着你走吧！你若不走，我也不離開這裏！」

李慕白仰着臉，眼淚滴在俞秀蓮胳臂上。他用低微的聲音，但很決斷地說：「姑娘不可。即不為姑娘自身想，也應該為德五哥的家裏着想。我殺死黃驥北，非是為我自己報仇，乃是為使德五哥將來回京之後，得以安居度日，我死無遺憾！不是我故意使姑娘傷心，實在自去歲孟二弟在高陽為我的事慘死之後，我對於人世便已覺無味。那時我就想死，只因對德五哥的恩義未報，故延至今日。俞姑娘，你現在身世如此淒涼，完全是因我所致，我一日不死，也一日不能心安。姑娘！你快走！你為我照應德五哥的家眷去吧！」秀蓮姑娘聽了李慕白這些話，她心如刀絞，雙手一顫，就將李慕白的身子放倒在地下蓆上。李慕白仍然躺着揮手說：「請姑娘跟史大哥快去吧！」這時巡更的人敲着梆子就走過來，俞秀蓮和史胖子趕緊蹲下身去，連大氣也不敢出。

少時，外面巡更的人把四更打過去了。俞秀蓮才站起身來。但史胖子仍然蹲在那裏，他扒着耳朵向李慕白說：「我若是知道你這麼快就把黃驥北給殺死了，我應當趕早奔回北京來，替你把這件事情辦了。因為在徐水縣，你殺死了魏鳳翔，殺傷了金槍張玉瑾和劉七太歲。那張玉瑾是死是活我倒不管，可是劉七他卻與我素有交情，他受的傷很重，我不能不把他送回他的家中去養傷，因此耽誤了兩天。事情完了，我趕緊再趕到北京來，就打算幫助你大爺再去收拾那黃驥北。可是昨天我才到，就聽小蜈蚣說了你這件事。昨天我就想來請你李大爺出獄，可是因為有去年那件事，我不敢再來碰你的釘子，所以我今天才請了俞姑娘跟着我來。本想你看在俞姑娘的面上，你也得跟着我們走。可是不想你李大爺的性情還是這麼怪癖。

「李大爺，你真枉作了一世的英雄。在我史胖子的眼裏，你是江湖上獨一無二的英雄。我因為在山西老家，被人打了，栽了跟頭，我才出來。我想跟你李大爺交個朋友，將來好請你跟我到山西，給我出出氣。一年以來，我對你李大爺出的力也不少。去年我到監獄裏救你，你不出去，那是因為你怕連累了朋友。可是現在你在北京的朋友還有誰？還有誰怕連累的？我的大爺，快跟我們走吧！現在快四更天了。」

說時，他也不管李慕白答應不答應，就要去給李慕白卸腳鐐。但是李慕白卻伸腳一踹，「咕咚」一聲將史胖子踹得屁股坐在地下，同時腳鐐也一聲巨響，將俞秀蓮也嚇了一跳。史胖子爬起身來，急得他把腳頓了一下，便不敢在此停留，遂就向俞秀蓮說：「快走，快走，明天再說！」當下他二人，又出了獄門；史胖子並將擰開的獄門的鎖照舊掛上。史胖子一肚子急氣，俞秀蓮滿懷傷感，就一同飛身上房，各自回去了。在他們去的時候，那李慕白已然悲痛得昏倒在地下的蓆上。

又過了兩天，這兩天之內，鐵小貝勒、邱廣超極力為李慕白的官司想辦法；但因案情太重，證據與口供全都十分確實，無論託多大的人情，也全都莫能為力。那史胖子與俞秀蓮姑娘，雖然前夜在獄中去救李慕白，遭受了李慕白的拒絕，但是他們仍不死心，仍然每夜要相約在提督衙門的附近，打算再乘機偷入獄中，強迫着將李慕白救了出來。可是，大概因為前天衙門裏的人，發現了李慕白那獄門的鐵鎖有異，所以加緊防備，巡邏守衛極為森嚴，使史胖子、俞秀蓮二人不但不能下手，簡直在衙門附近也不敢多停留。

到了第六天那天晚上，史胖子忽然派了那小蜈蚣到德家去給俞秀蓮送信，只說了：「風緊，今晚可別去了！」俞秀蓮一聽，十分地驚慌，心說：那夜自己在獄中見了李慕白，李慕白本已就奄奄一息。現在已過了兩日，恐怕他必是命在頃刻之間了！秀蓮姑娘本來對於李慕白是處處以禮自範，平日真是以恩兄之情對待李慕白，並沒有其他的具體想像；可是到了如今，李慕白作了這殺死黃驥北，自首投案的轟轟烈烈的事情，秀蓮的心裏不知是為了什麼，忽然很真實地對李慕白竟發生了一種欽敬戀愛之意。她雖自己極力抑制着，但是一點也不能克服這種纏綿不斷的柔情。

她至今才明白，李慕白本是一位年輕有為的烈性漢子，只因為他愛慕了自己，而偏偏自己又許配給孟思昭，所以他才落得志氣頹唐，才覺得人世無味；他才願意以死報德嘯峯、謝孟思昭，並想以死來斷絕他對自己的癡念。因此，俞秀蓮不禁把她那尖刀一般堅決、冰冷的心，又轉為柔弱、火熱，背着人拭了幾次眼淚。尤其是前兩天到獄中見了李慕白，那李慕白悽慘低微的聲調，慷慨壯烈的言語，他那英雄的身體將要跌倒時，被自己的雙臂接住，他的眼淚滴在自己的臂上時的情景，秀蓮全都傷心着一一地加以回憶。所以今天雖然史胖子傳來話說「風緊」，但她決不忍心就叫李慕白這樣地死在獄中。

到了二更天後，俞秀蓮就穿着短衣裳，身邊只帶着一把短刀，她趁着德大奶奶已然就寢，前後院都沒人聲之時，就越過牆去，穿着迂迴的小巷走，又往提督衙門去了。今天她已懷下了決心，如若不能把李慕白救出獄來，那她自己也就情願死在那裏，因為她自己這種傷心黯淡的生活，也實在沒有什麼足以留戀的。

走了多時，就來到了一條小胡同裏。秀蓮也不知道這條胡同的巷名是叫什麼，不過她可知道這裏離着提督衙門已然不遠了。此時天空上繁星亂閃，一彎眉月，似在那裏窺着這個行動蹊蹺的女子。歇了一會，眼看着就要走出這條胡同了，忽然覺着身後有人拍了她的柔肩一下，接着問道：「你是做什麼的？」

秀蓮吃了一驚，趕緊回頭去看，就見身後立着一個身材很高的人。藉着星月的光定睛去看，就見此人拖着很長的白鬍，原來是一位老者，相貌卻看不甚清楚。秀蓮剛要問：「你這老頭兒，為什麼拍我的肩膀？」可是這位老人又說話了。他說的是南方口音，不過打着官話，說道：「快回去！快回去！」說時推了秀蓮一下，秀蓮就覺得這位老人的力氣真大，她的身子不禁向後一仰。趕緊立定了蓮足，心裏生着氣說道：「你為什麼推我？」但是只見眼前的人影一晃，再看那個老人已經一點蹤影也沒有了。並且這老人來的時候全都沒有腳步的聲音。

秀蓮驚訝得身上打了個冷戰，心中疑惑着想：莫非這是鬼嗎？莫非是我父親的靈魂？可是我父親的身材沒有那樣高呀！一想到她的亡父俞老鏢頭，不禁又拋開了種種的驚訝疑惑，那一陣悲傷又襲到了她的心頭。她想着父親死得真可憐，而父親生前給她訂下的那件婚事更是可憐，將要流下眼淚來，但她一橫心，又把眼淚強收回去。

她卻腳步加快，又穿過了幾條小巷，直到那提督衙門的後牆。雖然這裏更聲交響，防範得正嚴，但秀蓮姑娘一心要救出李慕白，以報他當初助己葬父之恩，而盡以往的柔情，所以她不顧一切，乘着官人防範疏忽之處，她就越過牆去，到了提督衙門裏。

本來秀蓮的夜行工夫就是得自他父親的真傳，由去年冬季到今年春天這幾個月之內，她在巨鹿家中又加緊着練習，所以更是進步了。當時她在房上伏着身走，穿過了幾重廣大的院落，就到了監獄的院落裏。從房上向下一看，她就趕緊趴在房後的瓦上。原來這監獄的院裏有幾個官人手提腰刀，握着桿子，打着燈籠，正在那裏巡邏。

秀蓮姑娘屏聲靜氣地趴在房後，待了足有半點多鐘，院裏的官人們才走過去。秀蓮心裏才寬鬆一點，知道這些官人並不是永遠在這裏邏守，大概是一夜之內巡查幾次。秀蓮於是乘着獄院無人，便輕輕下房，直找到李慕白的那間獄房。當她用手去擰鐵鎖時，她不禁又驚訝得幾乎叫了出來。原來是不但沒有鎖，連鐵門都開了一道縫。秀蓮雖然驚訝，但不敢遲疑。她一面抽出身畔帶着的短刀，一面側身走進獄房。只見獄裏黑洞洞的，連一線月光也看不見。秀蓮就伸着手四下去摸，摸索了半天，上下左右全都摸到了，只摸着了一隻破碗和一塊破蓆頭。哪裏還有李慕白的蹤影呢？

這時俞秀蓮的心裏突然緊跳。她情知有變，便不敢在此稍加停留。趕緊出了獄門，飛身上房。由房頂走到牆上，剛要往下去跳，就見兩個打着梆子的更夫又由對面走來，秀蓮就趕緊趴在牆上，等着那兩個打梆子的走過去，去遠了，秀蓮才跳下牆去。蓮足急走，穿着小巷貼着牆根，連剛才那些驚人的事情也都不去細想，就很快地走回家來了。

回到德家內院的屋中，此時那德大奶奶還在裏屋睡得正酣，也許她的夢已飄到新疆遙遠之地與她的丈夫相會去了。秀蓮姑娘就把屋門關好，挑起燈來，自己倒了一碗茶飲過，這才想着剛才的那些可驚可疑的事情。就想：李慕白莫非是他自己越獄逃走了嗎？又想：不能，李慕白他自己決不肯出獄，不然他殺完黃驥北何必要投案自首呢？可是他往哪裏去了呢？莫非他已死在獄中，屍首叫獄卒們給拉出去了嗎？想到這裏，覺得大概是這樣的，李慕白一定是已經死了！當時她芳心如絞，雙淚滾下。哭了一會，忽然又想起剛才在那小胡同裏遇見的那個老人。那老人莫非是個瘋子麼，可是後來怎又看不見他了呢？也許那時是自己的眼花了。怎麼想也想不出到底是怎麼一回事，因此她一夜也未得安寢。

到了次日，俞秀蓮依然神不守舍地思索着昨夜的兩件事。到了天色將黑時，忽然那小蜈蚣又來找她。秀蓮想要託他去探聽李慕白，到底是死了還是逃去了，所以趕緊到前院去見那小蜈蚣。那小蜈蚣卻是神色驚慌，像是連站都站不住。他悄聲對俞姑娘說：「李慕白李大爺昨夜已由獄中逃走了，提督衙門裏的官人，今天在九門內整整搜查了一天，查出史胖子藏在彰儀門關箱茅家店內，就派了官人去捉拿史胖子。可是史胖子早聞風跑了。現在都知道是史胖子把李慕白給盜走了，因為他們兩人是好朋友。我現在在北京也待不住，求姑娘賞我幾個錢，叫我逃命去吧！姑娘這幾天也得小心點！」俞秀蓮一聽，也十分驚慌，趕緊到裏院取了十幾兩銀子，出來交給小蜈蚣，那小蜈蚣就匆匆地走了。

這裏秀蓮姑娘趕緊叫福子把門關嚴，然後回到裏院，坐在椅子上發怔。心想：莫非李慕白真是叫史胖子給盜走了嗎？可是又不能信，史胖子他未必有那麼大的本領。雖然心中仍舊驚疑，但是因為知道李慕白現在逃走了，她也就放了心。

由次日起，秀蓮姑娘就囑咐福子和門上僕人，說是除了廚役出外買菜之外，大門決不許開。她在德家擔心着提督衙門的官人，會來這裏搜查。可是又想：李慕白既不是我給盜出獄的，又沒有窩藏在這裏，即使官人前來搜查，那我又有何可懼？雖然秀蓮姑娘終日這樣地疑慮着，過了四五天，卻一點事情也沒有發生。又因為秀蓮囑咐僕人將大門緊閉，所以福子等男僕全都不能出門，也聽不見外面有什麼消息。

這天，是李慕白逃出獄後的第六天了。深夜四更時分，在德家的內院房中，裏間是垂着紅緞門簾，德大奶奶在那裏孤獨睡眠，俞秀蓮是在外屋木牀上就寢。因為天氣炎熱，所以她睡得不安。更因為心緒紛亂，所以夢境也是很迷離紊亂。她夢見了父母，又似夢見了李慕白。及至一覺醒來，翻身想要再睡，可是她的玉臂忽然觸到了一物，是冰冷的，很長，似是一條蛇，但卻不蠕動。秀蓮大驚，趕緊坐起身，跳下牀去，隨手取火將油燈點着，纖手擎燈來到牀前一看：啊呀！雖然她沒有叫出聲來，但確實嚇得她面目全都變了。原來是在她的牀上枕邊放着一口明晃晃的寶劍，寶劍之下並壓着一張紅紙帖子。

秀蓮姑娘暫且不去動那寶劍和紅紙，她卻先在屋中各處查看了一番；只見門窗戶壁全都絲毫未動，不知是什麼人竟能夠進到屋內在秀蓮的枕畔放下這寶劍與紅紙帖。秀蓮心中彷彿很不服氣，她就由桌上抽出雙刀，開門出屋，飛身上房，向四下尋看。只見星月之下，一片沉靜，連一聲更鼓也聽不到。秀蓮心說：怪呀！趕緊又跳下房去，進到屋裏先把那張紅紙帖拿起，就着燈光去看，只見帖上是墨筆寫的十四個核桃大的字，卻是：「斯人已隨江南鶴，寶劍留結他日緣」。這十幾個字秀蓮雖都認識，可是話中的意思她卻不懂；就想：什麼叫「江南鶴」呢？「斯人」又是什麼人呢？不過「寶劍留結他日緣」這幾個字，確實使她驚疑，而且臉上也飛紅了。因又將那口寶劍持起，細細觀看，覺得確實是李慕白所用的那口寶劍。因此更是驚訝地想：李慕白的寶劍，怎麼會送到我這裏來了，莫非是他自己給送來的？但他又不是那樣冒昧的人呀？

當下百思不解，這一個疑團就悶在俞秀蓮的心裏。她將那口寶劍和紅字帖秘密地收藏起來，心裏永遠猜索着這「斯人已隨江南鶴，寶劍留結他日緣」這十四個字。她本想要出外尋訪尋訪關於這些事的線索，但因她需照顧德家的眷口，連大門都不能出。每天只是與德大奶奶閑談，並教給德嘯峯的兩個小少爺練刀打拳。

德大奶奶是連李慕白殺死黃驥北的事情，她全都不知道，旁的事她更是不曉得了！偶爾向俞秀蓮談起李慕白來，她倒像很不放心似的，就說：「李慕白怎麼一去就不回來了呢。」俞秀蓮卻說：「他大概是追上我德五哥，他們一同往新疆去了。」德大奶奶想着李慕白與她丈夫至好，便也信以為真。

這樣呆板的日子，過了三個多月，神槍楊健堂就由新疆回來了。他見了德大奶奶，說是德嘯峯已然平安到了新疆，在那裏並不受什麼苦。並說那孫正禮也在新疆暫時住下，為是將來德嘯峯赦還之時，好沿途保護他。說完了，他就請德大奶奶放心。他在邱廣超家住了兩天，因為李慕白的事情，他恐怕負上嫌疑，便趕緊回延慶照料他的鏢店去了。這裏德大奶奶知道丈夫已平安到了新疆，她也略略放心。李慕白雖仍無下落，但她倒不甚關心了。有俞秀蓮陪伴着她，她也頗不寂寞。

一連又過兩個寒暑，這天正是深秋，鐵掌德嘯峯方由新疆赦還。他回到北京，一看家中因有俞姑娘保護，兩年以來，什麼事也沒有，他就心中甚喜，並向俞姑娘道謝。俞秀蓮這才當着德大奶奶，對德嘯峯說了李慕白殺死了黃驥北，投案自首，在獄中絕食求死，自己與史胖子前去救他，他不肯出來。可是後來他忽然在獄中失蹤，至今兩載有餘，並無一點音息的事。

德嘯峯一聽這件事，他又是驚訝，又是着急，並且對於李慕白替自己復仇，慷慨投獄的事，發生出極度的悲感。剛要說：「不要是李慕白早已死在獄裏了吧？那越獄逃走的話是一種謠傳吧！」卻又聽俞秀蓮接着說了，在李慕白由獄中逃走的第六日夜間，自己枕畔發現了一張紅字帖和一口寶劍之事。說時，並把那兩件東西取出來，給德嘯峯看。

德嘯峯這時驚訝得兩隻眼睛全都直了。他先把那口寶劍接到手裏，仔細地看了看，就點頭說：「不錯，這正是李慕白所用的那口寶劍！」遂又接過那張紅紙帖子來，一看那「斯人已隨江南鶴，寶劍留結他日緣」這十四個字，立刻德嘯峯就張開嘴笑了笑。他那風塵滿面的臉上，不禁現出了喜色，就向俞秀蓮說：「姑娘放心吧！李慕白是隨着他的盟伯父江南鶴老俠客走了。」俞秀蓮驚訝地問說：「江南鶴老俠客，又是怎樣的一個人？」

德嘯峯說：「這位老俠客我雖沒見過，但是在十年前，我就久聞這位老俠客的大名。這位老俠客不但是在江南獨一無二，就是在當世，論起武藝、名聲、資望，也沒有一個人再比得過他。

他與李慕白之父為盟兄弟。李慕白自幼本生長江南，後來因他的父母死了，江南鶴才把李慕白帶回到南宮縣，交給他的叔父撫養。不用說，那位老俠客一定是始終懷念着他這個盟姪。所以聞說李慕白下了獄，他就趕到北京，將李慕白救出，帶着走了。我想現在李慕白一定正隨着這位老俠客在江南住着了，過幾年，他或者還能回到北京來。到那時我想我們那位李大爺，武藝更得進步，性情也得改變了！」說時，喜歡得他手動腳跳。

秀蓮姑娘這才明白「斯人已隨江南鶴」這句話的意義。但是她又問道：「可是，李慕白既隨江南鶴去了，他為什麼不帶着他的寶劍，卻將寶劍送在我這裏呢？」問話的時候，秀蓮不由浮出兩腮的紅暈，似乎她也知道江南鶴送劍的意思，並且「留結他日緣」的這五個字她也像是明白了。可是她故意要再問德嘯峯，聽德嘯峯是怎樣的解釋。

只見德嘯峯面上又露出一種窘態，他微笑了笑，就說：「那夜送劍的人不是李慕白，一定是江南鶴。江南鶴老俠客他也許曉得，李慕白與姑娘是義同兄妹，姑娘又曾身冒危險，到獄中救過李慕白，所以他才將李慕白的寶劍送給姑娘，也就彷彿道謝送禮似的！」

德嘯峯這麼勉強地解釋了，秀蓮姑娘點了點頭，同時她心中忽又想起在兩年以前，那天夜裏自己去救李慕白，停在離着提督衙門不遠的那條胡同裏，就遇見一個高身材白鬍子的古怪老人。他叫我快回去，並用一種很大的力量來推我。莫非那是李慕白的盟伯，老俠江南鶴麼？正自想着，又見德嘯峯把那口寶劍遞給她，說道：「這口寶劍姑娘好好地收存吧！雖然這也是一件平常之物，但李慕白曾持此劍殺傷過賽呂布魏鳳翔、花槍馮隆、金槍張玉瑾，也殺死過瘦彌陀黃驥北，戰敗過金刀馮茂，物以人名，也可以說是一件名物。這張字帖，我要拿着去給鐵小貝勒看看，因為鐵小貝勒在這兩年內他也不定要如何地懷念李慕白呢！」

說着，他就叫僕婦出去；吩咐福子套車，他到裏間去換衣裳立刻就要走。德大奶奶追到裏屋說：「你今兒才回來，歇一天，明天再見鐵二爺去好不好？」德嘯峯搖頭說：「我不用歇着，這一年多我在新疆淨歇着了。再說黃驥北已被我的兄弟給除去了，我也沒有仇人了，以後愛怎麼歇着就怎麼歇着！」說到這裏，感到李慕白為他殺仇下獄，逃走在外下落不明的事，就不勝歎息，兩眼也潮潤潤的。德大奶奶又說：「你也得刮刮臉，再見鐵二爺去呀！」德嘯峯搖頭說：「我用不着刮臉。現在我也不當官差了，就是這樣去見鐵二爺，我想鐵二爺他也不能不見我。」

他說完見着俞秀蓮沒在這屋裏，他就把手裏拿着的那張紅紙帖，向他太太的眼前晃了晃，又指了指外屋，就笑着悄聲說：「江南鶴那老頭兒把李慕白的寶劍送給她，是有用意的，你沒看這帖上寫着？」說時他一個字一個字地指着給他太太看，並笑着唸道：「『寶劍留結他日緣！哈哈，這緣字兒多麼有意味呢？』」說完之後，他就換了一身闊綽的便衣，頭戴嵌着寶石的青緞小帽，把那紅紙帖就帶在身邊，然後帶着壽兒出門，坐上車就往安定門內鐵小貝勒府去了。

德嘯峯揚眉吐氣地坐在車上，心裏很高興，彷彿叫街上的人看：你們瞧！我德五現在又回來了，還是這個樣兒，也沒窮也沒死；可是他黃驥北呢？這時候連骨頭都許糟朽了！車過北新橋時，趕車的福子說，兩年前，那天，李慕白坐着他趕的車從這裏走。那時天都快黑了，就遇見一羣土痞，都拿着刀槍，放着冷箭，後來官人也趕來了。幸虧李慕白把這羣土痞打散，把官人給支走，可是自己的大腿上卻挨了一弩箭。德嘯峯這才知道自己在刑部監獄裏時，原來李慕白在外面與黃驥北爭鬥得很厲害。

少時，車走到鐵小貝勒府，德嘯峯就見了鐵小貝勒。先向鐵小貝勒道謝，然後就談到李慕白的事情，並把那張紅紙帖取出給鐵小貝勒看，鐵小貝勒就笑道：「我早就知道，李慕白一定是被一個本事比他還要好的人給盜出獄去了。衙門裏的人都說盜去李慕白的人，是一個開酒舖的史胖子，但我決不相信。憑史胖子一個江湖無名的人，李慕白如何能跟着他走？現在這對了，李慕白一定是隨着他的盟伯江南鶴往南邊去了。」

他接着又笑道：「你還不知道，江南鶴送給俞秀蓮的那口寶劍，是從我這裏拿去的。因為李慕白越獄的第二日，九門提督毛得衮就來見我。他說李慕白跑了。我說李慕白跑了，你找我來作什麼？莫非你想跟我要人嗎？毛得衮卻說他不敢。不過他知道我很照顧李慕白，他不能不把這件事來告訴我。然後他又說什麼黃驥北作惡多端，死有餘辜；李慕白雖然是逃犯，但他也很是佩服李慕白。並且那話味兒，還彷彿李慕白是他故意給放走了的。如果李慕白沒逃出北京，叫我轉過話去，好叫李慕白遠走高飛。

「我當時把毛得衮款待了一頓，我說明我與李慕白結識的經過，並叫他把李慕白殺了黃驥北投案時的那口寶劍，掉換出來給我，我留着作個紀念物兒。毛得袞聽了我這話，他當日就把寶劍給我送來了。我就放在書房的條案上，本想要配上一個劍鞘收起來，將來李慕白回到北京時，我再將劍送還他；可是沒想到劍鞘還沒配成，寶劍在書房放下不到三天就丟了。我當時也很是詫異；可是因為那時候李慕白越獄的事正在緊張，我也不便為一口寶劍派人到各處去找。哈哈！想不到原來是江南鶴將劍取走，送給俞秀蓮，給他的盟姪作訂禮去了。」

德嘯峯聽鐵小貝勒說到這裏，他不禁也笑了。又說：「李慕白在獄中時，俞秀蓮也曾去救他。他雖沒跟着俞秀蓮逃走，可是我知道，他們兩人一定在那黑洞洞的獄裏說了不少的知心話兒。李慕白向來是性情怪癖，誰說話他也不肯聽。可是他的盟伯江南鶴若是給他硬作主意，大概他可不敢不聽話。我想江南鶴既有那寶劍留結他日緣的這句話，將來一定能夠給他們撮合成了這件美事。」

鐵小貝勒又說：「現在俞秀蓮既是住在你的家裏，你可千萬要把她給穩住了。若是她再久靜思動，跑到外面闖江湖去，那時可連江南鶴也沒法子找她去了！」德嘯峯連連點頭，說道：「我有辦法，絕不能放俞秀蓮走了。」

說完了關於李慕白的事情，鐵小貝勒又囑咐德嘯峯說：「現在雖然沒有黃驥北那樣的人再坑害你了，但是你可更要謹慎，因為你那件案子至今並沒有完。宮中所丟失的珍寶很多，只珠子一項就有一百多顆。楊駿如當舖裏取出的那幾十顆珠子，都是些小的，聽說尚有四十多顆大珍珠都是世間稀有之物，現在尚無下落。你現在回來了，千萬要處處小心，否則，怕又要重翻舊案！」

德嘯峯連連答應，又與鐵小貝勒談了一會，他就告辭。出了鐵府往北溝沿邱府，去見邱廣超。給邱廣超道完了謝，又談了談李慕白與江南鶴的事情，他就回到家裏。當日他闔家團聚，十分高興。德嘯峯又向俞秀蓮談述他此次發配，往來經過了多少名勝之地，遇見多少江湖豪傑，聽見了多少新奇事情，真如海客奇談。直說到晚間九點，他方才歸書房就寢。

到了次日，他便閉門謝客，除了與鐵小貝勒、邱廣超和那與他一同返京的現在泰興鏢店做鏢頭的五爪鷹孫正禮有時往來之外，其餘的親友他都一概不見。每天只在家中練大字、讀《綱鑒》以作消遣，並在這東四牌樓三條胡同另買了一所小房，請俞秀蓮姑娘在那裏常住，以便教授他兩個小少爺的武藝，備將來應付仇人，保護身家之用。

俞秀蓮姑娘也很有耐心地住在那裏，有兩個僕婦服侍她。她每日除將刀法拳術教給德嘯峯的兩個兒子之外，便自己練習功夫，絕不敢荒廢。有時也將德大奶奶請過來，彼此閑談，生活雖是岑寂，但秀蓮姑娘並不感覺苦悶，不過有時偶檢隨身之物，看見了李慕白的那口光芒的寶劍、孟思昭訂婚的那枝燦爛的金釵，卻又不禁柔情引起，幽恨頻生，背人處彈上幾滴眼淚。

遠景出版事業公司圖書目錄(八)

62所羅門之歌	東尼·莫里森著	
63萬延元年的足球隊	大江健三郎著	
64希尼詩選	席慕·希尼著	
65辛波絲卡詩選	維絲拉娃·辛波絲卡著	
66不付賬	達里奧·福著	
67失明症漫記	若澤·薩拉馬戈著	
68狗年月	君特·格拉斯著	
69		
70		

《諾貝爾文學獎文庫》平裝80鉅冊，定價28,800元

V 林行止作品集

1英倫采風(一)	林行止著	160元
2原富精神	林行止著	240元
3閒讀閒筆	林行止著	240元
4英倫采風(二)	林行止著	160元
5英倫采風(三)	林行止著	160元
6破英立舊	林行止著	240元
7忠黨報港	林行止著	240元
8痼疾初發	林行止著	240元
9如何是好	林行止著	240元
10英倫采風(四)	林行止著	160元
11終成畫餅	林行止著	240元
12本末倒置	林行止著	240元
13通縮初現	林行止著	240元
14藥石亂投	林行止著	240元
15有法無天	林行止著	240元
16墮入錢網	林行止著	240元
17內部腐爛	林行止著	240元
18千年祝福	林行止著	240元
19極度亢奮	林行止著	240元
20王牌在握	林行止著	240元
21破網急墮	林行止著	240元
22主席發火	林行止著	240元

W 傳記文庫

1魯賓斯坦自傳（二冊）	楊月蓀譯	900元
2阿嘉莎·克莉絲蒂自傳	陳紹鵬譯	480元
3亨利·魯斯傳	程之行譯	180元
4夏卡爾自傳	黃翰荻譯	240元
5雷諾瓦傳	黃翰荻譯	320元
6拿破崙傳	高語和譯	300元
7甘地傳	許章眞譯	400元
8英格麗·褒曼傳	王禎和譯	240元
9鄧肯自傳	詹宏志譯	240元
10華盛頓傳	薛絢譯	240元
11希爾頓自傳	程之行譯	180元
12回首話滄桑—聶魯達回憶錄	林光譯	390元
13回歸本源—賈西亞·馬奎斯傳	卞雙成·胡眞才譯	390元
14韋伯傳（二冊）	李永熾譯	400元
15羅素自傳（三卷）	張國禎譯	840元
16蘇青傳	王一心著	240元
17高斯評傳	易憲容著	240元
18王度廬評傳	徐斯年著	280元
19		
20		

X 林語堂作品集

1生活的藝術	林語堂著	160元
2吾國與吾民	林語堂著	160元
3遠景	林語堂著	140元
4賴柏英	林語堂著	120元
5紅牡丹	林語堂著	180元
6朱門	林語堂著	180元
7風聲鶴唳	林語堂著	180元
8武則天傳	林語堂著	120元
9唐人街	林語堂著	120元
10啼笑皆非	林語堂著	120元
11京華煙雲	林語堂著	360元
12蘇東坡傳	林語堂著	180元
13逃向自由城	林語堂著	160元
14林語堂精摘	林語堂著	160元
15八十自敘	林語堂著	100元
16中國與印度之智慧	林語堂著	600元

Y 倪匡科幻小說集

1老貓	倪匡著	120元
2藍血人	倪匡著	140元
3透明光	倪匡著	120元
4蜂雲	倪匡著	140元
5蠱惑	倪匡著	120元
6屍變	倪匡著	130元
7沉船	倪匡著	140元
8地圖	倪匡著	140元
9不死藥	倪匡著	140元
10支離人	倪匡著	140元
11天外金球	倪匡著	120元
12仙境	倪匡著	130元
13妖火	倪匡著	140元
14訪客	倪匡著	80元
15盡頭	倪匡著	120元
16原子空間	倪匡著	120元
17紅月亮	倪匡著	120元
18換頭記	倪匡著	120元
19環	倪匡著	120元
20鬼子	倪匡著	120元
21大廈	倪匡著	120元
22眼睛	倪匡著	120元
23迷藏	倪匡著	120元
24天書	倪匡著	120元
25玩具	倪匡著	120元
26影子	倪匡著	120元
27無名髮	倪匡著	120元
28黑靈魂	倪匡著	120元
29尋夢	倪匡著	120元
30鑽石花	倪匡著	120元
31連鎖	倪匡著	140元
32後備	倪匡著	120元
33紙猴	倪匡著	150元
34第二種人	倪匡著	120元
35盜墓	倪匡著	120元
36搜靈	倪匡著	120元
37茫點	倪匡著	120元
38神仙	倪匡著	120元
39追龍	倪匡著	120元
40洞天	倪匡著	120元
41活俑	倪匡著	120元
42犀照	倪匡著	120元
43命運	倪匡著	120元
44異寶	倪匡著	120元

Z 熊秉元作品集

1我是體育老師	熊秉元著	240元
2尋找心中那把尺	熊秉元著	240元
3燈塔的故事	熊秉元著	240元
4大家都站著	熊秉元著	240元
5英倫行腳	熊秉元著	240元
6		
7		
8		
9		
10		
11		
12		

遠景出版事業公司圖書目錄(七)

R 史威德作品集

1經濟門楣	史威德著	240元
2經濟家學	史威德著	240元
3投資族譜	史威德著	240元
4一脈相承	史威德著	240元
5投資漫談	史威德著	240元

S 遠景藝術叢書

1要藝術不要命	吳冠中著	240元
2梵谷傳	常濤譯	320元
3夏卡爾自傳	黃翰荻譯	240元
4雷諾瓦傳	黃翰荻譯	320元
5音樂大師與世界名曲	劉璞編著	450元
6樂樂集1	孔在齊著	240元
7樂樂集2	孔在齊著	240元
8鄧肯自傳	詹宏志譯	280元
9魯賓斯坦自傳（二冊）	楊月蓀譯	900元
10我的兒子馬友友	馬盧雅文口述	240元
11水滸人物	黃永玉著	600元
12國際樂壇大師訪問記	梁寶耳著	240元
13笑吧！別忘了感恩	黎智英詩、丁雄泉畫	600元
14樂樂集3	孔在齊著	240元
15樂樂集4	孔在齊著	240元
16莫扎特之魂	趙鑫珊、周玉明著	450元
17貝多芬之魂	趙鑫珊著	550元
18我的貓	丁雄泉著	600元
19攝影藝術散論	莊靈著	280元
20		
21		

T 杜斯妥也夫斯基全集

1窮人	鍾文譯	160元
2死屋手記	耿濟之譯	200元
3被侮辱與被損害者	耿濟之譯	240元
4地下室手記	孟祥森譯	160元
5罪與罰	陳殿興譯	240元
6白痴	耿濟之譯	280元
7永恆的丈夫	孫慶餘譯	180元
8附魔者	孟祥森譯	480元
9少年	耿濟之譯	280元
10卡拉馬佐夫兄弟（二冊）	陳殿興譯	660元
11賭徒	孟祥森譯	180元
12淑女	鍾文譯	120元
13雙重人		
14作家日記		
15書簡		

U 諾貝爾文學獎文庫

1緣起、普魯東詩選	普魯東著	
米赫兒	米斯特拉爾著	
2羅馬史	蒙森著	
3超越人力之外	班生著	
大帆船	葉卻加萊著	
4你往何處去	顯克維支著	
5撒旦頌、基姆	卡度齊、吉卜齡著	
6人生的意義與價值	奧鏗著	
青鳥	海特靈克著	
7尼爾斯的奇遇	拉格洛芙著	
驕傲的姑娘	海才著	
8織工、沉鐘	霍普特曼著	
祭壇佳里	泰戈爾著	
9約翰克利斯朵夫（三冊）	羅曼羅蘭著	
10查理士國王的人馬	海登斯坦著	
奧林帕斯之春	史比德勒著	
11樂土	龐陀彼丹著	
明娜	傑洛拉普著	
12土地的成長	哈姆生著	
13天神們口渴了	法朗士著	
利害牽制	貝納勉特著	
14農夫們（二冊）	雷蒙特著	
15聖女貞德、母親	蕭伯納、德蕾達著	
16葉慈詩選	葉慈著	
創造的進化	柏格森著	
17克麗絲汀的一生（二冊）	溫茜特著	
18布登勃魯克家族（二冊）	湯瑪斯·曼著	
19白璧德	劉易士著	
卡爾菲特詩選	卡爾菲特著	
20密賽特世家（三冊）	高爾斯華綏著	
21鄉村、舊金山一紳士	布寧著	
六個尋找作者的角色	皮藍德婁著	
長夜漫漫路迢迢	奧尼爾著	
22尙·巴華的一生	杜嘉德著	
23大地、兒子們、分家	賽珍珠著	
24聖者的悲哀	西蘭帕著	
荒原	艾略特著	
25玻璃珠遊戲	赫塞著	
26僞幣製造者、窄門	紀德著	
27西瑪蘭短篇小說集	密絲特拉兒著	
柏拉特羅與我	希蒙聶茲著	
28聲音與憤怒、熊	福克納著	
29西洋哲學史（二冊）	羅素著	
30巴拉巴	拉格維斯特著	
苔蕾絲、毒蛇之結	莫里亞克著	
31第二次世界大戰回憶錄	邱吉爾著	
32老人與海、戰地春夢	海明威著	
33獨立之子	拉克斯內斯著	
34墮落、異鄉人、瘟疫	卡繆著	
35齊瓦哥醫生	巴斯特納克著	
36人生非夢、遠征	瓜西莫多、佩斯著	
37德里納河之橋	安德里奇著	
38不滿的多天、人鼠之間	史坦貝克著	
39阿息涅的國王	謝斐利士著	
嘔吐、牆	沙特著	
40靜靜的頓河（四冊）	蕭洛霍夫著	
41訂婚記	阿格農著	
伊萊	沙克絲著	
42總統先生	阿斯杜里亞斯著	
等待果陀	貝克特著	
43雪國、古都、千羽鶴	川端康成著	
44第一層地獄（二冊）	索忍尼辛著	
45一般之歌	聶魯達著	
九點半的彈子戲	鮑爾著	
46人之樹	懷特著	
47詹生短篇小說選	詹生著	
馬丁遜詩選	馬丁遜著	
孟德雷詩選	孟德雷	
48阿奇正傳	索爾·貝婁著	
亞歷山卓詩選	亞歷山卓著	
49莊園	以撒·辛格著	
50伊利提斯詩選	伊利提斯著	
米洛舒詩選	米洛舒著	
被拯救的舌頭	卡內提著	
51一百年的孤寂	賈西亞·馬奎斯著	
52蒼蠅王、啓蒙之旅	威廉·高定著	
53塞佛特詩選	魯斯拉夫·塞佛特著	
54豪華大酒店	克勞德·西蒙著	
55解釋者	沃爾·索因卡著	
56布洛斯基詩選	約瑟夫·布洛斯基著	
57梅達格胡同	納吉布·馬富茲著	
58巴斯葛·杜亞特家族	卡米羅·荷西·塞拉著	
59孤獨的迷宮	奧塔維奧·帕斯著	
60貴客	娜汀·葛蒂瑪著	
61奧梅羅斯	德里克·瓦爾科特著	

遠景出版事業公司圖書目錄(六)

12小王子	聖修伯理著	
13雪地三遊客	埃・凱斯特納著	
14小人國和大人國	江奈生・斯威夫特著	
15水孩子	查爾斯・金斯利著	
16快樂王子集	王爾德著	
17隱身人・時間機器	威爾斯著	
18男孩彭羅德的煩惱	布思・塔金頓著	
19吹牛大王歷險記	拉斯伯著	
20王子與貧兒	馬克・吐溫著	
21卡爾盧什卡的戲法	班台萊耶夫著	
22海蒂	約翰娜・施皮里著	
23莫吐兒	蕭洛姆・阿萊赫姆著	
24醜八怪	熱列茲尼科夫著	
25早來的鶴	艾特瑪托夫著	
26秘密花園	弗朗西絲・伯內特著	
27勇敢的船長	吉卜林著	
28白比姆黑耳朵	特羅耶波利斯基著	
29盲音樂家	柯羅連科著	
30綠山牆的安妮	露西・蒙哥瑪利著	

P柯賴二氏探案（賈德諾著）

1來勢洶洶	周辛南譯	180元
2招財進寶	周辛南譯	180元
3雙倍利市	周辛南譯	180元
4全神貫注	周辛南譯	180元
5財源滾滾	周辛南譯	180元
6失靈妙計	周辛南譯	180元
7面面俱到	周辛南譯	180元
8不是不報	周辛南譯	180元
9一髮千鈞	周辛南譯	180元
10因禍得福	周辛南譯	180元
11一目了然	周辛南譯	180元
12驚險萬狀	周辛南譯	180元
13一波三折	周辛南譯	180元
14馬失前蹄	周辛南譯	180元
15網開一面	周辛南譯	180元
16峰迴路轉	周辛南譯	180元
17詭計多端	周辛南譯	180元
18自求多福	周辛南譯	180元
19一誤再誤	周辛南譯	180元
20禍福無門	周辛南譯	180元

Q阿嘉莎・克莉絲蒂探案（三毛主編）

1A.B.C謀殺案	宋碧雲譯	180元
2加勒比海島謀殺案	楊月蓀譯	180元
3東方快車謀殺案	楊月蓀譯	180元
4鏡子魔術	宋碧雲譯	180元
5魔手	張艾茜譯	180元
6第三個女郎	楊月蓀譯	180元
7諜海	陳紹鵬譯	180元
8此夜綿綿	黃文範譯	180元
9不祥的宴會	陳紹鵬譯	180元
10鐘	張伯權譯	180元
11謀殺啓事	張艾茜譯	180元
12死亡約會	李永熾譯	180元
13葬禮之後	張國禎譯	180元
14白馬酒店	張艾茜譯	180元
15褐衣男子	張國禎譯	180元
16萬靈節之死	張國禎譯	180元
17鴿群裡的貓	張國禎譯	180元
18高爾夫球場命案	宋碧雲譯	180元
19尼羅河謀殺案	林秋蘭譯	180元
20艷陽下的謀殺案	景翔譯	180元
21死灰復燃	張國禎譯	180元
22零時	張國禎譯	180元
23畸形屋	張國禎譯	180元
24四大魔頭	陳惠華譯	180元
25殺人不難	張艾茜譯	180元
26死亡終局	張國禎譯	180元
27破鏡謀殺案	鄭麗淑譯	180元
28啤酒謀殺案	張艾茜譯	180元
29七鐘面之謎	張國禎譯	180元
30年輕冒險家	邵均宜譯	180元
31底牌	宋碧雲譯	180元
32古屋疑雲	張國禎譯	180元
33復仇女神	邵均宜譯	180元
34拇指一豎	張艾茜譯	180元
35漲潮時節	張艾茜譯	180元
36空幻之屋	張國禎譯	180元
37黑麥奇案	宋碧雲譯	180元
38清潔婦命案	宋碧雲譯	180元
39柏翠門旅館之秘	張伯權譯	180元
40國際學舍謀殺案	張國禎譯	180元
41假戲成眞	張國禎譯	180元
42命運之門	李永熾譯	180元
43煙囪的秘密	陳紹鵬譯	180元
44命案目睹記	陳紹鵬譯	180元
45美索不達米亞謀殺案	陳紹鵬譯	180元
46天涯過客	孟華譯	180元
47無妄之災	張國禎譯	180元
48藍色列車	張國禎譯	180元
49沉默的證人	張國禎譯	180元
50羅傑・亞克洛伊命案	張國禎譯	180元
51十個小黑人		
52書房裡的屍體		
53要命的線索		
54絕響		
55九霄命案		
56前途未卜		
57大象般的記憶		
58血腥聖誕夜		
59牧師公館命案		
60風格之屋命案		
61牙科醫生命案		
62萬聖節晚會		
63榛原謀殺案		
64悲傷的絲柏		
65巴格達的訪客		
66悲劇三幕		
67告訴我你如何過活		
68伯利恆之星		
69春天缺席		
70負荷		
71女兒就是女兒		
72巨人的麵包		
73薔薇與紫杉		
74未完成的畫像		
75聖誕的布丁		
76死者的鏡子		
77雙重罪		
78千載難逢		
79死亡獵犬		
80白羅十二探案		
81神秘的昆先生		
82私家探案		
83夫妻檔偵探		
84白羅出擊		
85名鑽晨星		
86十三個難題		
87三隻瞎老鼠		
88落水狗		
89檢方證人		
90白羅早期探案		
91		

遠景出版事業公司圖書目錄(五)

	21諸子百家看金庸（第五輯）	餘子等著	160元
	22淺談金庸小說	丁華著	160元
	23金庸小說評彈	董千里著	160元
	24金庸傳說	楊莉歌著	240元
	25破解金庸寓言	王海鴻　張曉燕　著	160元
	26給金庸小說挑毛病（上）	閻大衛著	160元
	27給金庸小說挑毛病（下）	閻大衛著	160元
	28挑燈看劍話金庸	戈革著	240元
	29解放金庸（一）	餘子主編	160元
	30解放金庸（二）	餘子主編	160元

M中國古典詩詞賞析

	1青青子衿（詩經選）	林振輝選註	180元
	2公無渡河（樂府詩選）	張春榮選註	180元
	3世事波舟（古體詩選）	李正治選註	180元
	4冰心玉壺（絕句選）	李瑞騰選註	180元
	5飛鴻雪泥（律詩選）	簡錦松選註	180元
	6重樓飛雪（宋詞選）	龔鵬程選註	180元
	7杜鵑啼情（散曲選）	汪天成選註	180元
	8相思千行（明清民歌選）	陳信元選註	180元
	9秋雁邊聲（杜甫詩選）	張敬校訂	180元
	10滄海曉夢（李商隱詩選）	朱梅生選註	180元
	11寒月松風（五言絕句選）	鄭騫校訂	180元
	12江帆千里（七言絕句選）	鄭騫校訂	180元

N諾貝爾文學獎全集

	1緣起、普魯東詩選	普魯東著	
	米赫兒	米斯特拉爾著	
	2羅馬史	蒙森著	
	3超越人力之外	班生著	
	大帆船	葉卻加萊著	
	4你往何處去	顯克維支著	
	5撒旦頌、基姆	卡度齊、吉卜齡著	
	6人生的意義與價值	奧鏗著	
	青鳥	海特靈克著	
	7尼爾斯的奇遇	拉格洛芙著	
	驕傲的姑娘	海才著	
	8織工、沉鐘	霍普特曼著	
	祭壇佳里	泰戈爾著	
	9約翰克利斯朵夫（三冊）	羅曼羅蘭著	
	10查理士國王的人馬	海登斯坦著	
	奧林帕斯之春	史比德勒著	
	11樂土	龐陀彼丹著	
	明娜	傑洛拉普著	
	12土地的成長	哈姆生著	
	13天神們口渴了	法朗士著	
	利害牽制	貝納勉特著	
	14農夫們（二冊）	雷蒙特著	
	15聖女貞德、母親	蕭伯納、德蕾達著	
	16葉慈詩選	葉慈著	
	創造的進化	柏格森著	
	17克麗絲汀的一生（二冊）	溫茜特著	
	18布登勃魯克家族（二冊）	湯瑪斯·曼著	
	19白璧德	劉易士著	
	卡爾菲特詩選	卡爾菲特著	
	20密賽特世家（三冊）	高爾斯華綏著	
	21鄉村、舊金山一紳士	布寧著	
	六個尋找作者的角色	皮藍德婁著	
	長夜漫漫路迢迢	奧尼爾著	
	22尙·巴華的一生	杜嘉德著	
	23大地、兒子們、分家	賽珍珠著	
	24聖者的悲哀	西蘭帕著	
	荒原	艾略特著	
	25玻璃珠遊戲	赫塞著	
	26僞幣製造者、窄門	紀德著	
	27西瑪蘭短篇小說集	密絲特拉兒著	
	柏拉特羅與我	希蒙聶茲著	
	28聲音與憤怒、熊	福克納著	
	29西洋哲學史（二冊）	羅素著	
	30巴拉巴	拉格維斯特著	
	苔蕾絲、毒蛇之結	莫里亞克著	
	31第二次世界大戰回憶錄	邱吉爾著	
	32老人與海、戰地春夢	海明威著	
	33獨立之子	拉克斯內斯著	
	34墮落、異鄉人、瘟疫	卡繆著	
	35齊瓦哥醫生	巴斯特納克著	
	36人生非夢、遠征	瓜西莫多、佩斯著	
	37德里納河之橋	安德里奇著	
	38不滿的冬天、人鼠之間	史坦貝克著	
	39阿息涅的國王	謝斐利士著	
	嘔吐、牆	沙特著	
	40靜靜的頓河（四冊）	蕭洛霍夫著	
	41訂婚記	阿格農著	
	伊萊	沙克絲著	
	42總統先生	阿斯杜里亞斯著	
	等待果陀	貝克特著	
	43雪國、古都、千羽鶴	川端康成著	
	44第一層地獄（二冊）	索忍尼辛著	
	45一般之歌	聶魯達著	
	九點半的彈子戲	鮑爾著	
	46人之樹	懷特著	
	47詹生短篇小說選	詹生著	
	馬丁遜詩選	馬丁遜著	
	孟德雷詩選	孟德雷	
	48阿奇正傳	索爾·貝婁著	
	亞歷山卓詩選	亞歷山卓著	
	49莊園	以撒·辛格著	
	50伊利提斯詩選	伊利提斯著	
	米洛舒詩選	米洛舒著	
	被拯救的舌頭	卡內提著	
	51一百年的孤寂	賈西亞·馬奎斯著	
	52蒼蠅王、啓蒙之旅	威廉·高定著	
	53塞佛特詩選	魯斯拉夫·塞佛特著	
	54豪華大酒店	克勞德·西蒙著	
	55解釋者	沃爾·索因卡著	
	56布洛斯基詩選	約瑟夫·布洛斯基著	
	57梅達格胡同	納吉布·馬富茲著	
	58巴斯葛·杜亞特家族	卡米羅·荷西·塞拉著	
	59孤獨的迷宮	奧塔維奧·帕斯著	
	60貴客	娜汀·葛蒂瑪著	
	61奧梅羅斯	德里克·瓦爾科特著	
	62所羅門之歌	東尼·莫里森著	
	63萬延元年的足球隊	大江健三郎著	
	64希尼詩選	席慕·希尼著	
	65辛波絲卡詩選	維絲拉娃·辛波絲卡著	
	66不付賬	達里奧·福著	
	67失明症漫記	若澤·薩拉馬戈著	
	68狗年月	君特·格拉斯著	
	69		
	70		

《諾貝爾文學獎全集》精裝80鉅冊，定價36,000元

O 世界兒童文學叢書

	1木偶奇遇記	卡洛·科洛迪著	
	2希臘神話	施瓦布著	
	3豪夫童話	豪夫著	
	4世界著名寓言	伊索·萊辛等著	
	5天方夜譚	王瑞琴譯	
	6愛的教育	埃·德·阿米琪斯著	
	7格林童話	格林兄弟著	
	8愛麗斯漫遊奇境	劉易斯·卡羅爾著	
	9騎鵝旅行記（上）	塞·拉格洛夫著	
	10騎鵝旅行記（下）	塞·拉格洛夫著	
	11苦兒流浪記	埃克多·馬洛著	

遠景出版事業公司圖書目錄(四)

47嘲笑的大猩猩		
48猶豫的女主人		
49綠眼女人		
50消失的護士		
51逃亡的屍體	魏廷朝譯	180元
52日光浴者的日記		
53膽小的共犯		
54最後的法庭	詹錫奎譯	180元
55金百合事件		
56好運的輸家	呂惠雁譯	180元
57尖叫的女人		
58任性的人		
59日曆女郎	葉石濤譯	180元
60可怕的玩具		
61死亡圍巾		
62歌唱的裙子		
63半路埋伏的狼		
64複製的女兒		
65坐輪椅的女人	黃恆正譯	180元
66重婚的丈夫		
67頑抗的模特兒		
68淺色的礦脈		
69冰冷的手		
70繼女的祕密		
71戀愛中的伯母		
72莽撞的離婚婦人		
73虛幻的幸運		
74不安的遺產繼承人		
75困擾的受託人		
76漂亮的乞丐		
77憂心的女侍		
78選美大會的女王	詹錫奎譯	180元
79粗心的愛神		
80了不起的騙子	張艾茜譯	180元
81被圍困的女人		
82擱置的謀殺案		

H 台灣文學叢書

1亞細亞的孤兒	吳濁流著	180元
2寒夜三部曲—寒夜	李喬著	320元
3寒夜三部曲—荒村	李喬著	320元
4寒夜三部曲—孤燈	李喬著	320元
5邊秋一雁聲	吳念眞著	180元
6台灣人三部曲	鍾肇政著	900元
7遠方	許達然著	120元
8濁流三部曲	鍾肇政著	900元
9魯冰花	鍾肇政著	160元
10含淚的微笑	許達然著	120元
11藍彩霞的春天	李喬著	180元
12波茨坦科長	吳濁流著	180元
13一桿秤仔	賴和等著	240元
14一群失業的人	楊守愚等著	240元
15豚	張深切等者	240元
16薄命	楊華等著	240元
17牛車	呂赫若等著	240元
18送報伕	楊逵等著	240元
19植有木瓜樹的小鎮	龍瑛宗等著	240元
20閹雞	張文環等著	240元
21亂都之戀	楊雲萍等著	240元
22廣闊的海	水蔭萍等著	240元
23森林的彼方	董祐峰等著	240元
24望鄉	張冬芳等著	240元
25市井傳奇	洪醒夫著	160元
26大地之母	李喬著	390元
27殺生	何光明著	200元
28紅塵	龍瑛宗著	240元
29泥土	吳晟著	180元
30蕃薯仔哀歌	蔡德本著	320元
31沒有土地．那有文學	葉石濤著	240元
32文學回憶錄	葉石濤著	240元

I 遠景大人物叢書

1生根．深耕	王永慶著	220元
2金庸傳	冷夏著	350元
3王永慶觀點	王永慶著	180元
4黎智英傳說	呂家明著	180元
5李嘉誠語錄	許澤惠編注	160元
6倪匡傳奇	沈西城著	180元
7辜鴻銘印象	宋炳輝編	240元
8		
9		
10		

J 歷史與思想叢書

1西洋哲學史（二冊）	羅素著	600元
2羅馬史	蒙森著	480元
3王船山哲學	曾昭旭著	380元
4奴役與自由	貝德葉夫著	280元
5群眾之反叛	奧德嘉著	180元
6生命的悲劇意識	烏納穆諾著	240元
7奧義書	林建國譯	180元
8吉拉斯談話錄	袁東等譯	180元
9中國反貪史（二冊）	王春瑜主編	900元
10現代俄國文學史	湯新楣譯	320元
11歷史的覺音	李永熾著	180元
12鄉土文學討論集	尉天驄編	550元
13末代皇帝	愛新覺羅．溥儀著	320元
14當代大陸作家風貌	潘耀明著	480元
15第二次世界大戰回憶錄	邱吉爾著	360元

K 七等生全集

1初見曙光	七等生著	240元
2我愛黑眼珠	七等生著	240元
3僵局	七等生著	240元
4離城記	七等生著	240元
5沙河悲歌	七等生著	240元
6城之迷	七等生著	240元
7銀波翅膀	七等生著	240元
8重回沙河	七等生著	240元
9譚郎的書信	七等生著	240元
10一紙相思	七等生著	240元

L 金學研究叢書

0金庸傳	冷夏著	350元
1我看金庸小說	倪匡著	160元
2再看金庸小說	倪匡著	160元
3三看金庸小說	倪匡著	160元
4讀金庸偶得	舒國治著	160元
5四看金庸小說	倪匡著	160元
6通宵達旦讀金庸	薛興國著	160元
7漫談金庸筆下世界	楊興安著	160元
8諸子百家看金庸（第一輯）	三毛等著	160元
9談笑傲江湖	溫瑞安著	160元
10金庸的武俠世界	蘇墱基著	160元
11五看金庸小說	倪匡著	160元
12韋小寶神功	劉天賜著	160元
13情之探索與神鵰俠侶	陳沛然著	160元
14析雪山飛狐與鴛鴦刀	溫瑞安著	160元
15諸子百家看金庸（第二輯）	羅龍治等著	160元
16諸子百家看金庸（第三輯）	翁靈文等著	160元
17諸子百家看金庸（第四輯）	杜南發等著	160元
18天龍八部欣賞舉隅	溫瑞安著	160元
19話說金庸	潘國森著	160元
20續談金庸筆下世界	楊興安著	160元

遠景出版事業公司圖書目錄(三)

27紫青雙劍錄(二)	倪匡增刪・校訂	240元
28紫青雙劍錄(三)	倪匡增刪・校訂	240元
29紫青雙劍錄(四)	倪匡增刪・校訂	240元
30紫青雙劍錄(五)	倪匡增刪・校訂	240元
31鑿空行一張騫傳	齊桓著	280元
32宰相劉羅鍋	胡學亮編著	280元
33都是夏娃惹的禍	陳紹鵬譯	180元
34都是亞當惹的禍	陳紹鵬譯	180元
35都是裸體惹的禍	陳紹鵬譯	180元
36文學的視野	胡菊人著	180元
37小說技巧	胡菊人著	180元
38紅樓水滸與小說藝術	胡菊人著	180元
39諾貝爾文學獎秘史	王鴻仁譯	240元
40張愛玲的畫	陳子善編	180元
41把水留給我	盧嵐著	180元
42多少英倫新事(一)	魯鳴著	240元
43多少英倫新事(二)	魯鳴著	240元
44中國經濟史(一)	葉龍編著	240元
45中國經濟史(二)	葉龍編著	240元
46歷代人物經濟故事(一)	葉龍著	240元
47歷代人物經濟故事(二)	葉龍著	240元
48歷代人物經濟故事(三)	葉龍著	240元
49太平廣記豪俠小說	楊興安著	240元
50行止・行止	駱友梅等著	240元
51天怒	陳放著	280元
52逐鹿十五大	吳國光著	240元
53趙紫陽與政治改革	吳國光著	399元
54九七效應	吳國光編	240元
55中南海跨世紀領導層	任慧文編著	320元
56江澤民跨世紀藍圖	任慧文等著	280元
57九七後中港新關係	國世平、錢學君編著	240元
58香港情懷	文灼非著	320元
59事實與偏見	黎智英著	240元
60我退休失敗了	黎智英著	240元
61我的理想是隻糯米雞	黎智英著	240元
62水清有魚	練乙錚著	240元
63說Ho—Ho的權利	練乙錚著	240元
64杜鵑聲裡斜陽暮	張文達著	240元
65饞遊四海(一)	張建雄著	160元
66饞遊四海(二)	張建雄著	160元
67另類家書	張建雄著	160元
68說不盡的張愛玲	陳子善著	240元
69張愛玲短篇小說論集	陳炳良著	180元
70箱子裡的男人	安部公房著	120元
71易信仁歷險記	梁寶耳譯	240元
72六四前後（上）	丁望著	240元
73六四前後（下）	丁望著	240元
74初夜權	丁望著	240元
75蘇東波	丁望編著	240元
76前九七紀事一：矮人看戲	戴天著	240元
77前九七紀事二：人鳥哲學	戴天著	240元
78前九七紀事三：群鬼跳牆	戴天著	240元
79前九七紀事四：囉哩哩囉	戴天著	240元
80中西文學的徊想	李歐梵著	240元
81方術紀異（上）	王亭之著	280元
82方術紀異（下）	王亭之著	280元
83風眼中的經濟學	雷鼎鳴著	240元
84用經濟學做眼睛	雷鼎鳴著	240元
85紀德日記	詹宏志譯	180元
86愛與文學	宋碧雲譯	240元
87酒逢知己	楊本禮著	240元
88皇極神數奇談	阿樂著	160元
89蜀山劍俠評傳	葉洪生著	240元
90佛心流泉	孟祥森譯著	180元
91朱鎔基跨世紀挑戰	任慧文著	320元
92戰難和亦不易	胡蘭成著	280元
93藤夢花落	京梅著	280元
94		

F 王度廬作品集

1鶴驚崑崙（上）	王度廬著	180元
2鶴驚崑崙（中）	王度廬著	180元
3鶴驚崑崙（下）	王度廬著	180元
4寶劍金釵（上）	王度廬著	180元
5寶劍金釵（中）	王度廬著	180元
6寶劍金釵（下）	王度廬著	180元
7劍氣珠光（上）	王度廬著	180元
8劍氣珠光（下）	王度廬著	180元
9臥虎藏龍（上）	王度廬著	180元
10臥虎藏龍（中）	王度廬著	180元
11臥虎藏龍（下）	王度廬著	180元
12鐵騎銀瓶（一）	王度廬著	180元
13鐵騎銀瓶（二）	王度廬著	180元
14鐵騎銀瓶（三）	王度廬著	180元
15鐵騎銀瓶（四）	王度廬著	180元
16鐵騎銀瓶（五）	王度廬著	180元

G 梅森探案（賈德諾著）

1大膽的誘餌	張國禎譯	180元
2倩影	鄭麗淑譯	180元
3管理員的貓	張國禎譯	180元
4滾動的骰子	張慧倩譯	180元
5暴躁的女孩	張國禎譯	180元
6長腿模特兒	張艾茜譯	180元
7蟲蛀的貂皮大衣	張國禎譯	180元
8艷鬼	施寄青譯	180元
9沉默的股東	宋碧雲譯	180元
10拘謹的被告	施寄青譯	180元
11淘氣的娃娃	張艾茜譯	180元
12放浪的少女		
13不服貼的紅髮		
14獨眼證人	張國禎譯	180元
15謹慎的風塵女子	鄭麗淑譯	180元
16蛇蠍美人案	葉石濤譯	180元
17幸運腿		
18狂吠之犬		
19怪新娘		
20義眼殺人事件		
21夢遊者的外甥女	方能訓譯	180元
22口吃的主教	魏廷朝譯	180元
23危險的富孀		
24跛腳的金絲雀		
25面具事件		
26竊貨者的鞋		
27作偽證的鸚鵡		
28上餌的釣鉤		
29受蠱的丈夫		
30空罐事件		
31溺死的鴨		
32冒失的小貓		
33掩埋的鐘		
34蚊惑	詹錫奎譯	180元
35傾斜的燭火		
36黑髮女郎	李淑華譯	180元
37黑金魚	張國禎譯	180元
38半睡半醒的妻子		
39第五個褐髮女人		
40脫衣舞孃的馬		
41懶惰的愛人		
42寂寞的女繼承人		
43猶疑的新郎		
44粗心的美女		
45變亮的手指		
46憤怒的哀悼者		

遠景出版事業公司圖書目錄(二)

15黛絲姑娘	哈代著	180元
16山之音	川端康成著	160元
17齊瓦哥醫生	巴斯特納克著	360元
18飄（二冊）	宓西爾著	360元
19約翰·克利斯朵夫（二冊）	羅曼·羅蘭著	750元
20傲慢與偏見	珍·奧斯汀著	99元
21包法利夫人	福婁拜著	240元
22簡愛	夏綠蒂·白朗特著	180元
23雪國	川端康成著	99元
24古都	川端康成著	99元
25千羽鶴	川端康成著	99元
26華爾騰——湖濱散記	梭羅著	99元
27神曲	但丁著	240元
28紅字	霍桑著	160元
29海狼	傑克倫敦著	180元
30人性枷鎖	毛姆著	400元
31茶花女	小仲馬著	99元
32父與子	屠格涅夫著	160元
33唐吉訶德傳	塞萬提斯著	180元
34理性與感性	珍·奧斯汀著	180元
35紅與黑	斯湯達爾著	280元
36咆哮山莊	愛彌兒·白朗特著	180元
37少年	杜斯妥也夫斯基著	360元
38預知死亡紀事	賈西亞·馬奎斯著	160元
39基姆	吉卜齡著	240元
40二十年後（四冊）	大仲馬著	800元
41塊肉餘生錄（二冊）	狄更斯著	400元
42附魔者	杜斯妥也夫斯基著	480元
43窄門	紀德著	120元
44大地	賽珍珠著	99元
45兒子們	賽珍珠著	99元
46復活	托爾斯泰著	180元
47分家	賽珍珠著	99元
48玻璃珠遊戲	赫塞著	240元
49天方夜譚（二冊）	佚名等著	500元
50鹿苑長春	勞玲絲著	180元
51一見鍾情	愛倫·坡著	180元
52獵人日記	屠格涅夫著	180元
53憨第德	伏爾泰著	120元
54你往何處去	顯克維支著	390元
55農夫們（二冊）	雷蒙特著	500元
56獨立之子	拉克斯內斯著	420元
57異鄉人	卡繆著	99元
58一九八四	歐威爾著	99元
59第一層地獄（二冊）	索忍尼辛著	500元
60還魂記	愛倫·坡著	180元
61娜娜	左拉著	180元
62黑貓	愛倫·坡著	180元
63鐵面人（八冊）	大仲馬著	2000元
64羅生門	芥川龍之介著	240元
65細雪	谷崎潤一郎著	360元
66浮華世界	薩克萊著	360元
67靜靜的頓河（四冊）	蕭洛霍夫著	1000元
68偽幣製造著	紀德著	180元
69鐘樓怪人	雨果著	280元
70嘔吐	沙特著	180元
71希臘左巴	卡山札基著	180元
72浮士德	歌德著	280元
73死靈魂	果戈里著	240元
74湯姆·瓊斯（二冊）	菲爾汀著	400元
75聶魯達詩集	聶魯達著	120元
76基度山恩仇記（二冊）	大仲馬著	400元
77奧德賽	荷馬著	320元
78少年維特的煩惱	歌德著	99元
79白璧德	辛克萊·劉易士著	280元
80坎特伯雷故事集	喬叟著	200元
81兒子與情人	D.H·勞倫斯著	200元

82謝利	夏綠蒂·白朗特著	480元
83明娜	傑洛拉普著	240元
84十日談（二冊）	薄伽丘著	360元
85我是貓	夏目漱石著	240元
86罪與罰	杜斯妥也夫斯基著	240元
87小婦人	阿爾柯特著	99元
88尚·巴華的一生	杜嘉德著	280元
89明暗	夏目漱石著	280元
90悲慘世界（五冊）	雨果著	900元
91酒店	左拉著	240元
92憤怒的葡萄	史坦貝克著	360元
93凱旋門	雷馬克著	240元
94雙城記	狄更斯著	240元
95白癡	杜斯妥也夫斯基著	280元
96高老頭	巴爾扎克著	99元
97人世間	阿南達·杜爾著	360元
98萬國之子	阿南達·杜爾著	360元
99足跡	阿南達·杜爾著	360元
100玻璃屋	阿南達·杜爾著	360元
101伊甸園東	史坦貝克著	280元
102迷惘	卡內提著	280元
103冰壁	井上靖著	180元
104白鯨記	梅爾維爾著	280元
105國王的人馬	羅伯特·潘·華倫著	320元
106克麗絲汀的一生（二冊）	溫茜特著	560元
107草葉集	惠特曼著	320元
108人之樹	懷特著	480元
109莊園	以撒·辛格著	280元
110里斯本之夜	雷馬克著	180元
111被拯救的舌頭	卡內提著	240元
112戰地春夢	海明威著	280元
113阿奇正傳	索爾·貝婁著	480元
114土地的成長	哈姆生著	240元
115九點半的彈子戲	鮑爾著	240元
116熊	福克納著	100元
117一位年輕藝術家的畫像	喬埃斯著	180元
118聲音與憤怒	福克納著	180元
119戰地鐘聲	海明威著	180元
120洛麗塔	納布可夫著	180元

E 遠景叢書

1預言者之歌	劉志俠譯著	300元
2兩性物語	何光明著	160元
3桃花源	陳慶隆著	180元
4溪邊往事	陳慶隆著	180元
5水鬼傳奇	陳慶隆著	180元
6結婚的條件	陳慶隆著	180元
7閒遊記饞	張建雄著	160元
8錢眼見聞	張建雄著	160元
9商海興亡	張建雄著	160元
10饞話連篇	張建雄著	160元
11一元五角車票官司	尤英夫著	160元
12請問芳名(一)	周平譯	200元
13請問芳名(二)	陳生保譯	200元
14請問芳名(三)	譚晶華譯	200元
15請問芳名(四)	莫邦富譯	200元
16縱筆	張文達著	160元
17洋相	蕭芳芳著	160元
18饞遊偶拾	張建雄著	160元
19陸鏗看兩岸	陸鏗著	280元
20點與線	松本清張著	180元
21霧之旗	松本清張著	180元
22由莎士比亞談到碧姬芭杜	陳紹鵬等譯	180元
23濟慈和芳妮的心聲	陳紹鵬等譯	180元
24現代俄國短篇小說選	高爾基等著	180元
25天仇	鄭文輝著	180元
26紫青雙劍錄(一)	倪匡增刪·校訂	240元

遠景出版事業公司圖書目錄(一)

遠景出版事業公司

A遠景文學叢書

1今生今世	胡蘭成著	280元
2山河歲月	胡蘭成著	180元
3遠見	陳若曦著	180元
4懺情書	鹿橋著	160元
5地之子	臺靜農著	160元
6人子	鹿橋著	160元
7酒徒	劉以鬯著	180元
8一九九七	劉以鬯著	180元
9建塔者	臺靜農著	160元
10小亞細亞孤燈下	高信譚著	180元
11花落蓮成	姜貴著	180元
12尹縣長	陳若曦著	180元
13邊城散記	楊文璞著	160元
14再見・黃磚路	詹錫奎著	180元
15早安・朋友	張賢亮著	180元
16李順大造屋	高曉聲著	180元
17小販世家	陸文夫著	180元
18心有靈犀的男孩	祖慰著	180元
19藍旗	陳村著	240元
20男人的一半是女人	張賢亮著	240元
21男人的風格	張賢亮著	240元
22萬蟬集	孟東離著	180元
23電影神話	羅維明著	180元
24不寄的信	倪匡著	160元
25心中的信	倪匡著	160元
26羅曼蒂克死啦	高信譚著	180元
27大拇指小說選	也斯編	180元
28生命之愛	傑克・倫敦著	180元
29成吉思汗	董千里著	280元
30馬可波羅	董千里著	180元
31董小宛	董千里著	180元
32柔福帝姬	董千里著	180元
33唐太宗與武則天	董千里著	180元
34楊貴妃傳	井上靖著	180元
35續愛眉小札	徐志摩著	180元
36郁達夫情書	郁達夫著	180元
37郁達夫卷	王潤華編	180元
38我看衛斯理科幻	沈西城著	160元

B高陽作品集

1緹縈	高陽著	260元
2王昭君	高陽著	180元
3大將曹彬	高陽著	160元
4花魁	高陽著	140元
5正德外記	高陽著	160元
6草莽英雄（二冊）	高陽著	360元
7劉三秀	高陽著	160元
8清官冊	高陽著	140元
9清朝的皇帝（三冊）	高陽著	600元
10恩怨江湖	高陽著	140元
11李鴻章	高陽著	180元
12狀元娘子	高陽著	240元
13假官眞做	高陽著	140元
14翁同龢傳	高陽著	280元
15徐老虎與白寡婦	高陽著	280元
16石破天驚	高陽著	210元
17小鳳仙	高陽著	280元
18八大胡同	高陽著	160元
19粉墨春秋（三冊）	高陽著	420元
20桐花鳳	高陽著	160元
21避情港	高陽著	120元
22紅塵	高陽著	140元
23再生香	高陽著	160元
24醉蓬萊	高陽著	160元
25玉壘浮雲	高陽著	150元
26高陽雜文	高陽著	150元
27大故事	高陽著	150元

C林行止政經短評

1身外物語	林行止著	240元
2六月飛傷	林行止著	240元
3怕死貪心	林行止著	240元
4樓台煙火	林行止著	240元
5利字當頭	林行止著	240元
6東歐變天	林行止著	240元
7求財若渴	林行止著	240元
8難定去從	林行止著	240元
9戰海蜉蝣	林行止著	240元
10理曲氣壯	林行止著	240元
11蘇聯何解	林行止著	240元
12民選好醜	林行止著	240元
13前程未卜	林行止著	240元
14賦歸風雨	林行止著	240元
15情迷失位	林行止著	240元
16沉寂待變	林行止著	240元
17到處風騷	林行止著	240元
18撩是鬥非	林行止著	240元
19排外誤港	林行止著	240元
20旺市蓄勢	林行止著	240元
21調控神州	林行止著	240元
22熱錢興風	林行止著	240元
23依樣葫蘆	林行止著	240元
24人多勢寡	林行止著	240元
25局部膨脹	林行止著	240元
26鬧酒政治	林行止著	240元
27治港牌章	林行止著	240元
28無定向風	林行止著	240元
29念在斯人	林行止著	240元
30根莖同生	林行止著	240元
31股海翻波	林行止著	240元
32劫後抖擻	林行止著	240元
33從此多事	林行止著	240元
34幹線翻新	林行止著	240元
35金殼蝸牛	林行止著	240元
36政改去馬	林行止著	240元
37衍生危機	林行止著	240元
38死撐到底	林行止著	240元
39核影幢幢	林行止著	240元
40玩法弄法	林行止著	240元
41永不回頭	林行止著	240元
42誰敢不從	林行止著	240元
43變數在前	林行止著	240元
44釣台血海	林行止著	240元
45粉墨登場	林行止著	240元

D世界文學全集

1魯拜集	奧瑪・開儼著	180元
2人間的條件（三冊）	五味川純平著	720元
3源氏物語（三冊）	紫式部著	900元
4蒼蠅王	威廉・高定著	180元
5查泰萊夫人的情人	D・H・勞倫斯著	180元
6安娜・卡列尼娜（二冊）	托爾斯泰著	400元
7戰爭與和平（四冊）	托爾斯泰著	800元
8卡拉馬佐夫兄弟（二冊）	杜斯妥也夫斯基著	660元
9三劍客（三冊）	大仲馬著	600元
10一百年的孤寂	賈西亞・馬奎斯著	180元
11美麗新世界	赫胥黎著	120元
12麥田捕手	沙林傑著	120元
13大亨小傳	費滋傑羅著	120元
14夜未央	費滋傑羅著	180元

寶劍金釵（下）

王度廬作品集 F⑥

作者	王度廬
發行人	沈登恩
出版者	遠景出版事業有限公司 郵撥：0765255—8 電話：（02）8226—9900 傳眞：（02）8226—9907 網址：http://www.vistagroup.com.tw 台北郵局7—501號信箱
香港分公司	遠景（香港）出版集團 香港中環雲咸街31號7樓
總代理	藍圖出版事業有限公司 台北縣中和市建八路2號 遠東世紀廣場C棟6F之9
門市部	智慧書店 台北縣板橋市中正路13號 電話：（02）8965—3300 傳眞：（02）8965—3311
印刷	成陽印刷股份有限公司 台北縣土城市永豐路195巷9號
定價	新台幣180元（全三冊540元）
初版	2001年4月

行政院新聞局登記證局版台業字第0105號

ISBN 957-39-0649-X

法律顧問：世紀聯合法律事務所　尤英夫律師